As vidas e as mortes de Frankenstein

Jeanette Rozsas

As vidas e as mortes de
Frankenstein

GERAÇÃO

Copyright © 2015 by Jeanette Beatriz Rozsavolgyi
Copyright desta edição © 2015, Geração Editorial Ltda.

1ª edição — Agosto de 2015

Grafia atualizada segundo o Acordo Ortográfico da Língua Portuguesa de 1990,
que entrou em vigor no Brasil em 2009

Editor e Publisher
Luiz Fernando Emediato

Diretora Editorial
Fernanda Emediato

Produtora Editorial e Gráfica
Priscila Hernandez

Assistente Editorial
Adriana Carvalho

Assistente de Arte
Nathalia Pinheiro

Capa
Alan Maia

Projeto Gráfico e Diagramação
Ilustrarte Design e Produção Editorial

Preparação
Marcia Benjamim

Revisão
Gypsi de Azevedo Canetti
Josias A. de Andrade

DADOS INTERNACIONAIS DE CATALOGAÇÃO NA PUBLICAÇÃO (CIP)
(Câmara Brasileira do Livro, SP, Brasil)

Rozsas, Jeanette
 As vidas e as mortes de Frankenstein / Jeanette Rozsas. -- São Paulo :
Geração Editorial, 2015.

 ISBN 978-85-8130-327-7

 1. Ficção - Literatura juvenil I. Título.

15-04935 CDD-028.5

Índices para catálogo sistemático:
1. Ficção : Literatura juvenil 028.5

GERAÇÃO EDITORIAL

Rua Gomes Freire, 225 — Lapa
CEP: 05075-010 — São Paulo — SP
Telefax: (+ 55 11) 3256-4444
E-mail: geracaoeditorial@geracaoeditorial.com.br
www.geracaoeditorial.com.br

Impresso no Brasil
Printed in Brazil

*Para a minha família amada,
à qual veio se juntar a Adriana,
nova estrela nesta constelação particular.*

Sumário

Algumas palavras da autora — 9

O novo Prometeu — 11

Um castelo em ruínas — 15

Pais ilustres, filhos fujões — 23

A história que o taberneiro contou – I — 29

As peças do tabuleiro — Primeira peça: Mary, um anjo — 47

A história que o taberneiro contou – II –
Primeiro obstáculo: obter o consentimento paterno — 53

As peças do tabuleiro — Segunda peça: Percy, um anjo perdido — 61

A história que o taberneiro contou – III – A Grande Arte — 67

Interlúdio – Seis semanas de aventura — 71

As peças do tabuleiro — Terceira peça: Byron, um anjo caído — 77

A história que o taberneiro contou – IV – A caminho da iluminação — 87

As peças do tabuleiro — Quarta peça: Claire Clermont, o pivô do encontro — 91

A história que o taberneiro contou – V – O preço da curiosidade — 95

Um verão sem sol – A aposta — 101

A história que o taberneiro contou – VI –
O grande experimento – Buscando a vida no reino dos mortos — 111

Um verão sem sol – A revelação — 119

A história que o taberneiro contou – VII – O castigo de Prometeu — 125

Um verão sem sol — Revelando a gênese de Frankenstein   131
A última peça do tabuleiro — Quinta peça: o dr. Polidori   135
Uma semana depois...   149

Posfácio
O destino de cada um   153
Bibliografia   157

Algumas palavras da autora

Neste romance há verdade e ficção caminhando lado a lado.

Pensei em colocar notas de rodapé para explicar a veracidade dos registros científicos e históricos. No entanto, como a obra foi escrita para entretenimento e não como fonte de pesquisa, tais informações ao fim da página, a meu ver, tirariam a fluência da leitura e o sabor das três histórias que se entremeiam, cada uma com dicção própria, formando este livro, que só não chamo de romance biográfico por nele transitarem personagens fictícios e reais.

Para o leitor que pretenda se aprofundar, há no final as referências bibliográficas de que me servi; aqui vão, também, os agradecimentos a todos que me forneceram informações indispensáveis sobre medicina, ciência, bioética e literatura, especialmente ao prof. dr. Reinaldo Ayer de Oliveira, dr. Adriano Marques de Almeida e dra. Nanci Paula Craveiro Shayer.

Ao professor Jiro Takahashi, meu mais profundo reconhecimento pela orientação e pelas preciosas sugestões.

Sou grata à leitura generosa e ao incentivo das amigas Wanda de Andrade e Regina Maria Pimentel.

Um agradecimento especial aos meus editores, Luiz Fernando Emediato e Fernanda Emediato, que, no correr dos anos, se tornaram amigos queridos.

E-mail durante o voo Brasil-Alemanha, 2010

"Família adorada,

Estamos voando bem acima das nuvens, que é como venho me sentindo desde que fui selecionada para essa bolsa de pesquisa na Alemanha. Vocês foram o máximo em tudo: no apoio, na torcida, no amor, sem os quais eu não passaria em concurso algum. Nunca vou esquecer os lanchinhos de madrugada que a mamãe levava enquanto eu varava a noite estudando; nem as pausas para cafezinho com a Cé e a Bia, que me contavam o que estava acontecendo no mundo real: namorados, faculdade, trabalho, baladas. E o papai, então, me olhando sempre daquele jeitinho dele, tão fofo e carinhoso, orgulhoso da filha. Olha, pessoal, eu prometo que vou corresponder a toda esperança que vocês depositaram em mim. Vou trabalhar e estudar como uma doida, aproveitar cada minuto dessa oportunidade que, a bem da verdade, não caiu do céu, mas foi resultado de eu ser tão CDF. O vestibular, os seis anos de medicina e a residência pareceram ficha comparados com os exames que fiz para, afinal, vir a ser selecionada. Acabei de jantar aquelas "delícias" que servem no avião e mais uma vez constatei como ser pesquisadora tem vantagens de ordem prática: organização, método, coordenação para não deixar a bandeja cair no colo do vizinho de poltrona. O meu, aliás, é um garotão de pele acneica, que já está de máscara, fone de ouvido, possivelmente ouvindo uma banda *heavy metal* enquanto masca chiclete no mesmo ritmo. Agora vou pegar minha gramática de alemão e estudar mais um pouco até dar sono; acho que consigo ler umas duas páginas. (rsrs)

Gente, obrigada por TUDO!!! Beijos da filha e irmã fera, voando alto com vocês no coração. Liz"

O novo Prometeu

"Eis-nos chegados aos confins da terra, à longínqua região da Cítia, solitária e inacessível! Cumpre-te agora, ó Vulcano, pensar nas ordens que recebeste de teu pai, e acorrentar este malfeitor, com indestrutíveis cadeias de aço, a estas rochas escarpadas. Ele roubou o fogo, teu atributo, precioso fator das criações do gênio, para transmiti-lo aos mortais!

Terá, pois, que expiar este crime perante os deuses, para que aprenda a respeitar a potestade de Júpiter, e a renunciar a seu amor pela humanidade..."

Prometeu Acorrentado, Ésquilo, c.525a.C.-456a.C.,
ebooksBrasil.org, 2005.

Alemanha, Universidade de... — 2010
E-mail de setembro de 2010

"Queridos,

Ainda nem consigo me convencer de que fui uma das escolhidas no meio daquela penca de candidatos para estagiar aqui na Universidade. É tudo tão perfeito, tão bonito, tão avançado, que fico até atordoada. As instalações fazem lembrar um filme de ficção científica e o que mais se faz são exercícios de futurologia, mas para valer, pesquisa da maior seriedade. Tem tudo com que uma pesquisadora já sonhou e ainda um pouco mais com relação a tecnologias médicas. Imaginem que fui designada para trabalhar num dos laboratórios — eles têm vários — onde fazem pesquisa de engenharia celular de tecidos. Traduzindo, antes que vocês virem o nariz como sempre fazem quando uso esses termos 'esquisitos': o nosso grupo estuda desenvolver órgãos e tecidos por meio de células-tronco. Já imaginaram? Uma das pesquisas já está sendo testada e, se der tudo certo, vai ser uma verdadeira revolução: a pessoa mastectomizada poderá ter a mama reconstituída a partir de células de gordura dela mesma. Sem silicone! Isso para não falar no que estão fazendo para atacar células cancerígenas com um mínimo de agressão por meio da nanotecnologia, diagnósticos *in vitro*, individualização dos remédios para cada tipo de tumor, cirurgias só feitas por robôs... Outro dia entrei num centro cirúrgico e quase me apaixonei por um deles (hahaha). São eficientes, só mexem com as mãos, não falam, não resmungam e, se falham, têm conserto. Como eu gostaria que vocês viessem me visitar. Todos: papai, mamãe, minhas duas irmãs chatinhas: mandem *e-mails*, mandem *e-mails*, mandem *e-mails*. Agora tenho que voltar ao trabalho. A gente vai se falando. bjs.bjs.bjs.

Liz

PS: Depois dos primeiros dias num *hostel*, vi um anúncio no Centro de Pesquisa sobre uma vaga, *only for girls*. Fui até o endereço, gostei e estou dividindo um apê com cinco moças, também estagiárias: a Monica, chilena; a Maria João, obviamente portuguesa; a Heather, escocesa; a Penny, americana; e a Julia, porto-riquenha. Todas muito simpáticas, é a própria ONU; falamos português, espanhol, inglês e uma mistura que todas entendem.

PPS: Beijos na vó. Eu me lembro sempre dela, porque aqui os estudos sobre Alzheimer avançam a cada dia. Quem sabe surja logo alguma medicação que possa retardar a doença."

Twitter @familiamedeiros – setembro de 2010

"Início de outono. Dias maravilhosos, cheios de cor. bj. Liz feliz"

ALEMANHA, DARMSTADT — 1814
(VILA DE NIEDER-BEERBACH)

Um castelo em ruínas

ALEMANHA, DARMSTADT (VILA DE NIEDER-BEERBACH) — 1814

— Foi assim que as coisas aconteceram, posso lhes assegurar — disse o taberneiro, limpando as mãos no avental que cobria o estômago avantajado, enquanto atendia seus jovens clientes. — Conheço a história com todas as minúcias porque minha família serviu aquele castelo por mais de três gerações, até que o maldito Dippel pôs tudo a perder. Pagou com a vida a ousadia de querer fazer ressuscitar os mortos.

O rapaz e as duas moças, sentados numa mesa ao ar livre, estavam absolutamente fascinados com a história que o homem lhes contava já fazia mais de uma hora. Enquanto isso, seus pratos eram reabastecidos de queijo e pequenas linguiças feitas na região e seus copos nunca ficavam vazios. A cerveja local era suave, tão suave como a tarde de verão, as flores nas encostas dos morros, o verde que se estendia como um grande tapete e a alegria de estarem vivos e juntos após tantas tribulações.

Mary Godwin e Percy Shelley, de mãos-dadas, trocavam olhares apaixonados de tempos em tempos, enquanto Jane Clairmont fazia ares de horror e medo. Mas Jane era exagerada, dada a cenas só para chamar a atenção.

Mal sabia o gordo taberneiro que estava diante de um trio de fujões: Mary, de 16 anos; Percy, de 21; e Clara Mary Jane (a quem todos chamavam de Jane) de 15, resolveram fugir da casa dos pais; o casal por estar apaixonado; e a mais nova, por querer um pouco de aventura na vida. Partiram da Inglaterra e após uma longa jornada, primeiramente a pé e, à medida que o cansaço aumentava, de burro, a cavalo, de carruagem e de barco, percorreram a França e a Suíça. Acabavam de chegar a esta cidadezinha primorosa às margens do Reno, na qual o falastrão decidira contar-lhes a história — segundo ele, real — de um antepassado seu, Max Muller, que trabalhara para um alquimista havia quase dois séculos no castelo em ruínas, que podiam ver empoleirado bem no topo da montanha, única nota sombria naquela paisagem serena.

O castelo pegara fogo em decorrência de experimentos que o alquimista vinha fazendo com pólvora.

— Dippel foi encontrado e enterrado. O ajudante escapou, apesar de muito queimado. Ficou dias entre a vida e a morte. Dizem que sobreviveu graças às poções aprendidas com o mestre. Vocês podem não acreditar, mas ele continua vivo. Já foi visto por mais de uma pessoa.

— Após séculos? — perguntou Shelley, sorrindo.

O outro prosseguia:

— O mestre tinha descoberto o elixir da vida eterna e foi por isso que morreu. Deus o castigou com o fogo pela ousadia. Mas meu antepassado era apenas um aprendiz, não tinha culpa nenhuma.

— Então o senhor acha que ele tomou o tal elixir? — Shelley atalhou.

— Acho não. Tenho certeza! Hoje não tem mais a aparência de um garoto, mas de um farrapo humano, como uma roupa que vai sendo remendada para caber no dono que cresceu demais. Um homem, se é que se pode chamar aquilo de homem, imenso, de olhos mortos, apavorante.

— Pare! Não quero ouvir mais nada! — exclamou Jane, tapando os ouvidos.

— Mas nós queremos — disse Mary. — O senhor conhece quem tenha visto este... esta... coisa?

O homem calou-se por um instante e o ar bonachão desapareceu de seu rosto.

— Sim. Eu mesmo o vi. Era uma noite igual a tantas outras. Eu estava cansado e fui dormir antes da minha mulher, que ficou arrumando a cozinha. De repente alguma coisa fez com que eu acordasse. Lá estava ele, debruçado sobre minha cama, me olhando atentamente. Antes que eu pudesse gritar, desapareceu na escuridão com uma agilidade surpreendente para um corpo tão grande e desengonçado.

— O senhor devia estar sonhando — disse Shelley, um tanto hesitante, ele mesmo sujeito a medos e visões aterradoras.

— Quisera eu! A sensação de sua respiração sobre meu rosto, o hálito pestilento, o olhar morto que não queria largar o meu... Não! Não há pesadelo que seja tão terrível. Isso aconteceu faz muito tempo, mais de dez anos, e rezo todas as noites para que não aconteça nunca mais!

Fez-se um silêncio pesado. A fisionomia do homem, o tom com que tinha contado a história davam-lhe uma incômoda credibilidade. Às tantas, ele balançou a cabeça como que para espantar pensamentos indesejados.

— Mas os copos estão vazios! — exclamou, subitamente alegre. — O que vocês vão pensar de um dono de taberna que só fica conversando em vez de atender bem seus fregueses?

— Para mim já chega — disse Mary. — Bebi mais do que estou acostumada.

Jane concordou.

— Minha cabeça começa a pesar...

— Pode-se visitar o castelo? — indagou Shelley.

— Poder, pode, só que não restou muita coisa a ser vista, a não ser uma paisagem soberba!

— Então, que tal irmos até lá? — Shelley olhou para as moças.

Mary concordou imediatamente, mas Jane recusou-se a ir.

— A jovem pode ficar aguardando aqui, enquanto vocês vão. Eu e minha esposa, que está na cozinha preparando o jantar, cuidaremos dela, podem ficar sossegados.

E assim o casal se foi.

Flores em abundância enfeitavam o caminho. Amarelas, brancas, delicadas. Logo Mary carregava uma braçada delas. O dia estava lindo e eles subiam a encosta lentamente, aproveitando os momentos de sossego, nos quais dividiam a paisagem sem a presença de ninguém mais.

— Que história, essa do taberneiro! — disse Shelley.

— Você acreditou?

— Por que não? Desde criança me interesso por experiências científicas e não acho nada impossível que o homem venha a dominar a morte.

— Será que o elixir da vida eterna foi mesmo descoberto pelo alquimista Dippel? Será que o tal Max continua por aí?

— Fiquei realmente curioso com tudo isso. Os alquimistas avançaram bastante, mas na verdade não acredito que seja um elixir que vai nos dar a vida eterna, mas sim os experimentos com eletricidade, que já vêm sendo feitos com sucesso há mais de cinquenta anos. Não demora o dia em que o segredo da Criação seja revelado.

Mary e Shelley estavam bem a par do assunto. O pai da moça era amigo de muitos cientistas importantes e durante serões e mais serões foram discutidos o mistério da natureza do homem e as formas possíveis de animar a matéria morta. Shelley, por seu lado, desde pequeno era fascinado por tudo quanto se referisse a experiências científicas, além de fantasmas, monstros e mortos-vivos.

À medida que subiam, o castelo ganhava corpo. As ruínas retorcidas, enegrecidas pelo fogo e pelo tempo, os buracos vazados, através dos quais olhos sem vida pareciam observar o par que esbanjava felicidade. Uma rajada de vento premonitório só fez aguçar a curiosidade dos dois.

— Querido, estou ficando com medo. Esta ventania repentina...

— Ora, Mary, a natureza conspira para tornar mais interessante nossa excursão. Talvez até encontremos o antepassado do taberneiro nos aguardando.

— Não sei se deveríamos voltar... Estou cada vez mais inquieta... A história que o taberneiro contou é tão estranha... Ouça como o vento uiva e o céu escurece conforme nos aproximamos das ruínas.

— Vamos lá, querida. Estou aqui para protegê-la de todos e de tudo, seja deste mundo ou do outro.

Chegaram ao que teria sido a entrada. Folhas secas, uma ou outra tábua solta no chão, pedras, muito pó e boa parte do teto era tudo o que restara. Com precaução, adentraram os escombros. Um cheiro indefinível, mistura de mofo e passado, surpreendeu-os. Andavam lado a lado, evitando buracos, pedras e detritos, afastando teias de aranha. Numa passagem que se bifurcava, Mary se separou de Percy e foi explorar uma ala que lhe chamara a atenção, graças a um fio de claridade. Tratava-se mais propriamente de uma caverna, que poderia ter sido um quarto ou uma saleta, e dela três degraus de madeira velha escaparam do incêndio. A curiosidade levou a melhor e logo Mary subia os degraus carcomidos, apoiando-se nos restos do que fora uma parede. Ao chegar ao topo, para sua surpresa, viu uma porta que se entreabria para um cômodo, talvez o único que restara intacto. Entrou.

Aguardou um pouco até que seus olhos se acostumassem à penumbra. Lá dentro, nada mais do que um grande balcão de madeira muito velha, praticamente despedaçada, coberta de cacos de artefatos de vidro e cerâmica; alguns deles, mais bem preservados, exibiam bojos de formatos estranhos. Também havia um forno de assar e instrumentos feitos de algum metal, provavelmente estanho. Pareciam colheres, pás, facas. Em um canto, no chão, alguns poucos jarros, intactos por milagre. Aproximou-se cautelosa e levantou um a um, examinando-os contra a réstia de luz que se filtrava através de uma fissura. Olhou, intrigada, os conteúdos. De repente, com um grito, jogou o jarro que segurava para longe e a escuridão a envolveu, densa, impenetrável.

E-mail de outubro de 2010

"Pessoal, o negócio aqui tá fogo. A gente trabalha dia e noite e isso não é apenas modo de falar. É dia e noite MESMO. Tem várias experiências que não podem deixar de ser monitoradas. Apesar de tanta tecnologia, sempre sobra algum trampo pra nós, mortais — ainda que seja a parte mais chata. Ainda bem, senão eles me despachavam de volta para casa que, no momento, é a última coisa que quero — não me levem a mal, é claro que sinto saudade de casa e do Brasil, dos amigos, da comida. Nem sei como vai ser no inverno, nunca peguei neve, estamos no outono que é lindo, mas já faz bastante frio. Essa universidade é o sonho dourado de qualquer cientista. Não posso dar mais detalhes porque a internet está longe, muito longe ainda, de ser um meio seguro e o que fazemos aqui é confidencial. Só adianto que no próximo mês vou estagiar em novo projeto, com outra equipe. Todas as pesquisas são feitas assim: com a participação de médicos, engenheiros, biólogos, bioquímicos, físicos, geninhos da computação, *nerds* de tudo o que vocês imaginarem, e até psicólogos, cuja função é nos deixar com os pés na terra. As possibilidades científicas são incontáveis e dinheiro para pesquisa não falta porque as grandes indústrias, especialmente as do ramo farmacêutico, investem pesado. Aí entra o trabalho do psicólogo: não podemos perder a própria referência e que ninguém invente de bancar o Deus criador. Quanto às equipes, são todas formadas por '*tops*' de cada área, que nos tratam com a maior deferência, como se fôssemos cientistas e não simples estagiários. Isso torna o trabalho mais instigante ainda. Andei pensando em tentar meu próprio *startup*, mas não já. Ainda tenho um longo caminho a percorrer. *Startup* é iniciar um projeto próprio. Tem de fazer a apresentação; se for escolhido, eles bancam a pesquisa, dando todo o suporte. Se no final der certo, a gente também pode registrar a tecnologia em nosso próprio nome, com direitos autorais, *royalties* e tudo o mais. Bom, este *e-mail* está ficando do tamanho de uma tese. Escrevam, mandem notícias. Bia, adorei as novidades. Cé, me conta mais do seu novo namorado. bjs.bjs.bjs."

Inglaterra — 1814

Pais ilustres, filhos fujões

Londres, Holborne Street (lar da família Godwin) — 1814

— Não acredito, não posso acreditar — gemia William Godwin. — Desrespeitar um lar honrado, onde foi acolhido como a um parente.

O homem espumava de raiva, andando de um lado para outro, o rosto vermelho de indignação, enquanto amassava e desamassava compulsivamente o bilhete que acabara de ler.

— Minha filha, minha Mary, 16 anos, quase uma criança ainda, e aquele canalha... O que mais me dói é ter confiado nele.

— E a minha Jane, você não diz nada? Mais nova ainda que Mary, só 15 anos —lastimava-se a segunda senhora Godwin. — Ele seduziu as duas, roubou-nos as filhas dentro de nossa própria casa.

— Um homem casado!

— Não contente, abandonou a mulher grávida. Pilantra!

Uma vozinha tímida interrompeu as lamúrias:

— Mary e Jane foram embora por vontade própria. O sr. Shelley não teve culpa.

Era Fanny, filha de uma relação da primeira senhora Godwin, a famosa escritora Mary Wollstonecraft.

— Mary e Jane foram embora com o sr. Shelley por vontade própria — insistiu Fanny.

— Como assim!? — vociferou William.

— Mary e o sr. Shelley estão apaixonados há algum tempo e Jane... bem, Jane queria sair de casa. Ela implorou para ir com eles.

— Que conversa é essa, menina? Por que a minha Jane haveria de querer sair de casa? Você está mentindo como sempre, tentando criar animosidade. Acha que não notei seus olhares lânguidos para o sr. Shelley antes mesmo de ele conhecer Mary? Você é que gostaria de estar no lugar delas, mas imagine se um nobre haveria de se interessar por uma pessoa tão insípida.

— Mary, por favor... Fanny está apenas nos contando o que sabe — William intercedeu pela menina. — Vamos, querida, diga-nos o que realmente aconteceu.

Fanny mantinha-se calada. Só a extrema palidez e os olhos postos revelavam seu estado interior. Personalidade dócil, maternal, sempre disposta a ajudar, não sabia como se defender dos ataques da madrasta.

— Então, o que está esperando? Fale de uma vez. O que você sabe? Por que não nos contou antes, assim teríamos evitado tamanha desgraça?! — berrava a segunda senhora Godwin.

A moça continuava olhando o chão, petrificada.

Godwin carinhosamente envolveu-a pelos ombros:

— Vamos, minha filha, o que quer que tenha acontecido a culpa não é sua. Diga-nos o que se passou antes que o coração de seu velho pai estoure.

Mais confiante, ela conseguiu falar:

— Desde que o senhor Shelley conheceu Mary, quando ela voltou da Escócia, entre ambos se formou um vínculo especial. Conversavam muito, falavam de literatura, das novidades da Ciência, de tudo, enfim, o quanto Mary se interessa; e mais, porque segundo ela o sr. Shelley é um poço de cultura. Encontravam-se no túmulo de mamãe, onde liam poemas. Nós todos sabíamos: Jane, Edward, eu mesma. No entanto, a atitude dele era sempre respeitosa, como se fosse um bom amigo com quem ela encontrara afinidade.

William Godwin balançava a cabeça, entristecido. Bem que notara alguma coisa, mas não fora suficientemente enérgico. Um homem com três moças solteiras e românticas em casa não deveria receber um jovem bem-apessoado, nobre e rico em seu lar com tanta frequência. Ele devia ter sido mais cauteloso. O fato de Shelley ser casado não era impeditivo para avanços em direção às meninas.

— E a mulher dele? — perguntou Godwin. — Ela é uma moça muito bonita, esteve aqui algumas vezes...

— Estão separados, papai.

De fato, dois anos antes, Shelley fugira com a bela Harriet Westbrook, por insistência dela, que passava por problemas em casa. Alguns meses depois, casaram-se na igreja, pois uma criança estava a caminho.

— Ó, meu Deus — clamava a segunda senhora Godwin. — Viu no que deu, William Godwin, o seu método liberal de criação? Viu no que deu não respeitar as convenções sociais, você e sua amada Mary Wollstonecraft?

Godwin retrucou com mágoa:

— Eu aconselhei Shelley a honrar os laços matrimoniais, mesmo que ele e a esposa pouco ou nada tivessem em comum, e também a fazer as pazes com o pai, com quem estava brigado por ter encasquetado ser escritor.

— Só que não era isso que você e sua mulherzinha viviam pregando por aí afora. É claro que os jovens, tolos como são, se deixariam levar pelas conversas de vocês dois.

— Deixe Mary fora disso — William replicou com acidez. — Não admito que ofenda a memória de minha esposa. Ela nem sequer teve tempo de conhecer a filha, quanto mais de exercer qualquer influência em sua criação.

— Mas as que defendeu foram guardadas como um tesouro precioso; sua imagem paira sobre esta casa como uma divindade que morreu, porém não se apagou. O retrato dela no seu escritório domina todos aqui dentro; seus livros são lidos e relidos como se fossem a Bíblia Sagrada. Pois o resultado está aí!

A primeira esposa de Godwin, Mary Wollstonecraft, tinha sido uma mulher à frente de seu tempo, inteligente, libertária. Era contra a instituição do casamento, opunha-se a qualquer forma de governo que inibisse a vontade soberana das pessoas e, feminista ao extremo, publicou livros que a deixaram famosa. Para completar, ao conhecer Godwin era mãe solteira!

Godwin, por sua vez, era um intelectual respeitado e autor de obras que o tornaram uma referência filosófica e literária.

Apesar de ambos advogarem o amor livre, decidiram se casar quando Mary engravidou. A cerimônia foi realizada na igreja de são Pancras, em 29 de março de 1779. Cinco meses mais tarde, nascia a filha do casal, que se tornou órfã com uma semana de vida, em razão de complicações no parto.

Godwin se viu perdido — sem a mulher que tanto amara —, encarregado da criação de duas meninas: Fanny, a bastarda, que ele queria como a uma filha, e a recém-nascida Mary.

A esposa foi enterrada no cemitério da mesma igreja onde, havia poucos meses, se casara e era lá que a menina Mary iria, na infância e na juventude, procurar solidão e reflexão. Foi junto à lápide que aprendeu as primeiras palavras, a mãozinha guiada pela mão paterna, desenhando o nome da mãe; seria lá, também, que começaria o envolvimento de Mary com Shelley, ambos lendo em voz alta a obra da falecida, a quem ele também admirava.

Godwin casou-se novamente. Sua escolha recaiu sobre uma pessoa diametralmente oposta à falecida esposa. Mary Clairmont, a segunda sra. Godwin, era viúva e tinha dois filhos, Mary Jane e Edward.

Razoavelmente preparada, embora sem a cultura da anterior, era grosseira, falava alto, e infernizou o lar, até então tranquilo, do viúvo e suas duas meninas.

A nova esposa só se preocupava com os afazeres domésticos e em economizar — nisso ela era realmente boa —, ao contrário do marido, que não ligava para dinheiro.

Não bastassem uma mulher barulhenta e quatro crianças em casa, os Godwin tiveram um menino, William.

O que Godwin recebia com as aulas dadas aos muitos discípulos que vinham em busca de suas teses avançadas e de sua erudição era insuficiente para manter um lar tão numeroso. Foi a sra. Godwin que pôs na cabeça do marido a ideia de abrir uma editora e publicar histórias infantis de autoria dele. Os livros constavam como sendo da autoria de certo Baldwin, pois a fama de livre-pensador do verdadeiro autor poderia prejudicar as vendas. No entanto, os negócios só deram prejuízo e até o final da vida Godwin viveu de empréstimos de amigos e de assinar notas promissórias.

E-mail de outubro de 2010

"Querido Guto,

Recebi todos os seus *e-mails* e peço desculpas indesculpáveis por só responder agora, mas tanta novidade com a mudança para a Alemanha, trabalho, língua, país etc. fica difícil de processar.

Guto, você sabe que gosto muito de você, continuo gostando, mas não volto atrás na minha decisão. Não faz sentido a gente continuar, se não tenho previsão para voltar ao Brasil. Melhor que cada um siga sua vida, permanecendo sempre a nossa amizade. Acho, também, que não devemos trocar *e-mails*. O rompimento doeu muito, não é bom ficar remexendo na ferida. No momento, e para os próximos anos, a minha carreira vem em primeiro lugar. Me desculpe, também estou sofrendo. Se um dia tivermos de nos reencontrar, fica por conta do destino.

Beijos com muito carinho e adeus com lágrimas nos olhos. Liz"

E-mail de outubro de 2010

"Todos,

Fiquei muito triste com a notícia sobre a vó. Tadinha, quebrar o fêmur aos 90 anos! A cirurgia em si não oferece maiores problemas, vamos torcer para que não haja nenhuma intercorrência. O pós-operatório é doloroso e difícil, vocês vão precisar de uma enfermeira. Na casa de quem ela vai ficar? Aposto que é na nossa. Espero que o tio Sérgio e a tia Carminha ajudem um pouco, inclusive financeiramente. Tá bom que eles ganham pouco, mas juntando as 'durezas' fica menos pesado. Eu queria estar aí para ajudar. Digam pra vó, mesmo que ela não entenda nada, que mando um beijo especial e que vou rezar muito para tudo correr bem. Mandem notícias."

A história que o taberneiro contou

I

Alemanha, Vila de Nieder-Beerbach — 1694

A região era assombrosamente bela. Grande em sua desolação, afastada, por vezes temível conforme as sombras da noite envolviam as montanhas e o castelo. No verão, à luz do sol, o mistério como que se dissolvia, dando lugar à pradaria de um verde intenso, colorido por uma abundância de flores, até mesmo nas escarpas cujos topos exibiam a neve eterna.

Em torno do castelo várias histórias corriam sussurradas, dando conta de malfeitos e crueldades, de fantasmas e aparições. Mas do lado de dentro daquela verdadeira fortaleza, ninguém, nenhum empregado, era autorizado a alimentar a boataria. Mesmo quando indagados por suas famílias, mantinham-se num obstinado silêncio, temerosos de perder seus empregos ou amedrontados pelas coisas inexplicáveis que lá ocorriam.

Os proprietários eram os poderosos Frankenstein, de antiga nobreza, que só se submetiam ao poder do imperador e de ninguém mais. Havia gerações que ocupavam aquelas terras, e desde a construção do castelo em 1252 raramente saíam de seus domínios. Só as filhas, ao se casarem, as deixavam.

Os homens continuavam sempre ali, isolados no cume da montanha íngreme, trazendo consigo as noivas, cuja união era acertada entre os pais, garantindo assim a continuação da linhagem. Pouco se sabe deles e de suas vidas.

Os aldeões também partilhavam da mesma paisagem de tirar o fôlego, mas a vista que se vislumbrava do castelo no alto da montanha era incomparável. Foi num dia de exaltação de flores e colorido que Max, pela primeira vez, adentrou as muralhas que protegiam a propriedade. Sua mãe ficara em casa cuidando do bebê recém-nascido, e por isso ele acompanhou o pai que todos os meses para lá dirigia a grande carroça, carregada de mantimentos trazidos da aldeia. O menino já estava com quase 15 anos e era tempo de começar a ajudar a fazer o que os homens de sua família vinham fazendo havia anos: servir aos senhores do castelo. Os Muller eram lenhadores e caçadores. Sobreviviam do cultivo de parte das terras dos Frankenstein, que generosamente lhes permitiam ficar com um mínimo da produção. Dessa forma, apesar de pobres, nunca lhes faltava à mesa uma verdura, um legume, um pedaço de pão e uma caça.

Moravam numa choupana bem no sopé da montanha e se consideravam afortunados de, por mais de três gerações, contarem com o beneplácito dos nobres do castelo. Heinz Muller periodicamente enchia até a borda sua carroça para levar as mercadorias aos amos. O cavalo subia bufando e suando a encosta escarpada e quando paravam no pátio, antes de mais nada era preciso dar-lhe água fresca e cevada para que não desfalecesse.

Naquela tarde, Heinz dirigiu-se à imensa cozinha onde Hilde, a cozinheira, o aguardava com um sorriso e uma caneca de cerveja.

— Como foste de viagem, Heinz? Pelo jeito que teu cavalo chegou, babando e soprando pelas ventas, não foi nada fácil.

Virando a caneca num grande gole e limpando os beiços na manga da camisa, o camponês respondeu ao cumprimento.

— É verdade, Hilde. Este ano a safra foi muito boa. A carroça tem vindo abarrotada e meu pobre cavalinho já está ficando velho, não sei quanto tempo mais aguentará subir até aqui.

Virando-se para o filho, ordenou:

— Max, vamos começar a descarregar.

Só então a cozinheira viu o garoto.

— Ah, vejo que conseguiste um ajudante... Mas tão magrinho! Será que dá conta?

Heinz empurrou o filho para a frente:

— Este é meu filho Max. Ele é magrela mesmo, como eu fui na idade dele. E sempre ajudei meu pai.

— Olá, rapazinho — Hilde sorriu. — O que teu pai está dizendo é a pura verdade. Friedrich, que serve esta família há noventa anos, costumava nos contar das vindas de teu avô e do ajudante magricela.

— Como está o velho Friedrich? — indagou Heinz.

— Completamente caduco. Não fala mais coisa com coisa.

— Pobre Friedrich. Antes que eu mesmo fique assim, preciso treinar meu filho para me substituir algum dia. Só que este... não sei, não. Vive no mundo das nuvens. Gosta de olhar o dia e a noite, o céu e as estrelas. Diz que quer entender como funciona a natureza. Não sei o que se passa na cabeça desmiolada do pequeno.

Enquanto os dois conversavam, Max, que sempre sonhara em visitar o castelo, foi se esgueirando pela cozinha. Para sua sorte, a pesada porta de carvalho que levava para o interior da moradia estava aberta e assim ele conseguiu entrar sem que seu pai e a cozinheira percebessem. Andando pelos corredores, mergulhou em pensamentos. Imaginava-se um nobre, enfrentando inimigos e sabe-se lá mais o quê. No povoado ouvira algumas histórias sobre o castelo, coisas de assombração, de mortos que voltavam à vida. No entanto, ele se sentia em segurança. Na sua imaginação era o castelão e ninguém ousaria desafiá-lo, fosse deste mundo ou do outro.

À medida que avançava, deslumbrava-se com tanto luxo: cortinas pesadas, candelabros de prata, jarrões, lustres imensos que deviam brilhar como o dia quando todas as velas eram acesas, tapetes grossos e macios. Ao mesmo tempo, sentia uma opressão no peito, como se tudo aquilo impedisse que a verdadeira vida lá penetrasse, que era a vida que ele levava, correndo pelos campos, sentindo o vento no rosto, deixando-se ensopar na chuva, aquecendo-se ao sol. Não ali dentro. Era como se estivesse na gaiola onde costumava prender passarinhos.

Ainda assim, continuou andando. Deparou-se com escadas assimétricas que levavam a pisos em desnível, de tal forma que quem subisse por uma não via quem descia pela outra. Animou-se a subir. Já estava no meio dos degraus rangentes quando ouviu alguém chamando.

— *Pssst*. Ei, meu jovem... Vem cá.

Da porta entreaberta de um dos cômodos, um homem muito velho acenava com insistência.

— Vem até aqui, garoto. Quero conversar contigo.

Max aproximou-se, hesitante.

— Entra, entra — convidou o ancião. — Senta perto de mim. Faz tanto tempo que ninguém me visita. Qual é teu nome?

— Chamo-me Max, senhor. Sou filho de Heinz Muller, que vem todos os meses ao castelo trazer mercadorias.

— Ah, claro, o menino Heinz. Ele vem sempre com o pai, o Hans.

— Não, senhor. Hans era meu avô. Desde que ele morreu, quem vem é meu pai. Mas agora que já vou fazer 15 anos, tenho de ajudá-lo a carregar e descarregar a carroça — disse Max, sem muito entusiasmo.

O velho tossiu e escarrou no chão, sem-cerimônia.

— O filho de Hans, então.

— Não, o neto.

— Com efeito, com efeito. Já foste apresentado ao Barão von Frankenstein?

— Até agora não.

— Pois na primeira ocasião vou apresentar-te a ele. Meu nome é Friedrich, sou o mordomo da família há cem anos.

— Cem? — fez Max, assombrado.

— Qual é a surpresa? Se aquele vingativo do Dippel quisesse, eu poderia viver muito mais e recuperar minha aparência de quando era jovem como tu.

Diante do ar de espanto do garoto, Heinrich resolveu se explicar.

— Nasci neste castelo. Aqui sempre vivi, casei, tive meus filhos e os perdi para o mundo. E sei muito bem o que acontece atrás de muitas dessas portas...

— Como assim?

— Nunca ouviste falar em Johann Konrad Dippel?

— O médico? Já o vi na aldeia quando foi atender um doente.

— Hmmm. Ele se diz médico, e também teólogo e alquimista. Garante que estudou na universidade... chegou a se formar, dá aulas e palestras. Tudo mentira!

Abaixando a voz, o velho se aproximou do garoto:

— Na realidade, é um bruxo que faz metais virarem ouro, mortos reviverem, velhos se tornarem moços. Além do mais, é um usurpador: passou a usar o nome Frankenstein como se dele próprio fosse. Um nobre... he, he, he.

Max estava perplexo com tanta história.

— E onde está o sr. Dippel?

— No sótão. Não sai de lá, gosta de viver nas trevas, junto com seus mortos, valha-me Deus! Olhe, garoto, não ouses subir muito mais. Podes entrar por engano no valhacouto do maldito e, então, nunca mais ninguém saberá de ti...

Um calafrio percorreu a coluna de Max.

— É verdade mesmo que ele faz essas coisas? Ouvi algumas conversas na aldeia...

— Não só essas, mas piores. Conjura os espíritos dos mortos, pratica magia negra, fala diretamente com Satanás, pelas chagas de Nosso Senhor – o velho se persignou. – Bem, gentil mancebo, agora que já nos conhecemos, quero descansar um pouco. Venha me visitar quando estiveres por esses lados.

Despediram-se e Max seguiu pelos corredores afundados em sombra. As coisas que o velho tinha contado tiraram um pouco a segurança que sentira até então; ao mesmo tempo, aguçaram sua curiosidade. Um esconderijo onde pedras viravam ouro e mortos reviviam? Seria possível? Lembrou-se de que a cozinheira falara de um velho no castelo que não falava coisa com coisa. Claro, só podia ser esse Friedrich. Deu de ombros. Não se deixaria amedrontar por bobagens. Assim pensando, continuou a peregrinação: subiu mais escadas, desceu outras, subiu outras tantas, encontrou cômodos luxuosos, salões de música, galerias cheias de quadros retratando homens, mulheres, crianças, certamente antepassados, que o seguiam com o olhar. Tudo parecia desabitado havia muito.

Durante a incursão, não encontrou vivalma. Encorajou-se a continuar subindo; quando deu por si, estava na parte mais alta. Apesar da grossura dos vidros e da poeira que se acumulava neles, podia enxergar pelas janelas o vale maravilhoso lá embaixo, cheio de luz, parecendo infinitamente distante. Continuou a andar pelos corredores. Todas as portas fechadas. De repente, o coração acelerou. No final do corredor, quatro degraus acima, uma porta estreita parecia semicerrada. Max subiu de dois em dois e confirmou a suspeita: a porta, bem menor que todas as demais, abria-se em um vão, convidativo, insinuante.

Olhando em torno para certificar-se de que não era observado, entrou, cada vez mais surpreso à medida que conseguia distinguir o interior na semiobscuridade. Viu um balcão de madeira tosca, estantes que cobriam quase todo o interior daquela bizarra saleta, duas cadeiras, além de um grande forno. Esse era todo o mobiliário. Intrigado, aproximou-se do balcão sobre o qual estavam dispostos vasos de formas estranhas, retorcidos, compridos, abaulados, potes de cerâmica de vários tamanhos e instrumentos que ele não saberia sequer descrever. Sobre um fogareiro borbulhava alguma coisa com um sibilo que parecia o vento e soltava abundante fumaça. Além disso, por todas as paredes, estantes com jarros contendo pós de cores diversas, plantas, sapos mortos, pássaros, cobras, raízes, muitos livros e uma infinidade de coisas que ele daria tudo para saber para que serviam.

Sem dúvida, tratava-se de um laboratório.

Naquele momento, o rapaz experimentou um estranho fascínio, como se já tivesse estado naquele mesmo lugar, manejando o instrumental com desembaraço e conhecimento. Encontrou, então, a resposta que vinha procurando: não era lavrador, como seu pai e seu avô, que queria ser; nem mesmo soldado, como seus dois irmãos mais velhos. Ele queria entender os mistérios que cercavam o mundo e, se havia alguma, a resposta deveria estar contida no meio de toda aquela parafernália.

Tão embevecido estava com a descoberta, que nem ouviu os passos que se aproximavam. Tarde demais! À sua frente, um homem alto o olhava intensamente.

— A curiosidade pode ser tanto uma virtude quanto um hábito perigoso — falou o desconhecido.

Mesmo sentindo-se frágil diante de tal personagem, Max conseguiu reunir coragem e responder:

— No meu caso, senhor, posso afirmar que é uma virtude. Perseguia um sonho, que não sabia qual era até entrar nesta sala.

— E sabes o que se faz aqui dentro?

— Não, senhor, mas quero aprender. Acho que o que busco está bem aqui.

O homem riu:

— E o que tanto buscas?

Sentindo-se mais à vontade, Max respondeu:

— Meus pais me chamam de sonhador, mas quero entender como funciona o mundo, por que a noite segue o dia, por que existem as estações do ano, como crescem as plantas e se transformam em frutos e legumes que meu pai traz aqui para o castelo...

— Ah, uma mente científica... — o homem atalhou com alguma ironia.

— Não sei o que é isso, senhor. Só sei que quero aprender essas coisas, para mim tão misteriosas.

— Disseste que teu pai nos traz frutos e legumes?

— Sim, além de flores, caça, óleo e tudo de que precisam. Desde os tempos de meu avô que minha família serve o castelo.

— E tu? Não queres fazer o mesmo?

— Com os demônios, não, senhor. Não quero ser camponês como meu pai, e muito menos soldado, como meus irmãos mais velhos.

— Antes de tudo, não praguejes na minha frente. Por acaso sabes quem sou?

Ruborizando, Max respondeu:

— Imagino que sejas o nobre Dippel. E quanto a praguejar, é o hábito.

Max estava mortificado por ter usado uma expressão imprópria diante do nobilíssimo Johann Konrad Dippel, o homem mais sábio de toda a região. Tinha ouvido os aldeões falarem coisas aterradoras sobre ele. No entanto, o sr. Dippel estava longe de inspirar medo. Falava com autoridade natural e tinha a postura de um verdadeiro aristocrata. Admiração, era isso que o homem lhe inspirava, com todo o saber que imaginava possuir. E ele, sem pensar, falara como um camponês ignorante.

A voz de Dippel interrompeu seus pensamentos.

— Maus hábitos devem ser postos de lado o mais depressa possível. Então? O que desejas ser?

— Não sei como se chama o que quero...

Depois de pensar um pouco, disparou:

— Eu quero entender a vida.

O homem mediu o menino à sua frente.

— Muito bem. És assaz ambicioso, meu rapaz. Mais uma característica que pode ser uma virtude ou um perigo. E como achas que vai conseguir alcançar o que desejas?

— Até há pouco não saberia dizer. Mas agora, quem sabe trabalhando para Vossa Excelência?

Com uma risada, o homem exclamou:

— Ora, ora. Além de tudo, audácia não te falta. Sabes por acaso o que faço?

Max abaixou a cabeça.

— Vamos, responda!

— Bem, senhor, sei que sois médico.

— E o que mais?

O menino corou até a raiz dos cabelos:

— E que transformais metais em ouro, mas eu não acredito.

— Ah, não? Por que não?

— Acho que sois um sábio e não um mago.

— Hmm, imaginas que operar transmutações é coisa de magia? Interessante... O que mais ouviste?

O rapaz sentia-se desconfortável. Não sabia como responder àquela pergunta sem ofender o nobre Dippel.

— Vamos — insistiu o médico. — Não tenhas medo de ser franco.

Criando coragem, Max prosseguiu:

— Que sois alquimista...

— Isso não é segredo — fez o outro, impaciente.

Agora não tinha mais jeito. As palavras saíram de uma vez, quase se atropelando:

— Que praticais o ocultismo, fazeis magia negra e tendes pacto com o diabo.

Dippel balançou a cabeça:

— Quanta estultícia! A ignorância é a melhor companheira da infâmia.

— Eu não acho nada disso, Excelência — justificou-se Max. — Acho que tendes muita coisa para me ensinar, um mundo diferente ao qual poucos podem chegar, mas que por sorte eu cheguei... — e acrescentou, com um sorrisinho: — Graças à minha curiosidade.

O homem ficou um momento pensativo até que disse:

— Muito bem. Agrada-me tua coragem em seguir o instinto. É assim que se obtém o que se deseja. Pareces inteligente e determinado. O Cosmo tem um plano e, se foste guiado até mim, não deverei fechar olhos e ouvidos à Grande Harmonia que rege tudo quanto acontece. Vamos conversar. Se ao final não tiveres mudado de ideia, vou treinar-te para ser meu discípulo. Aviso desde logo que não será tarefa simples.

— Não tenho medo de trabalho, senhor — disse Max, o rosto brilhando de satisfação.

— Ainda não sei teu nome.

— Chamo-me Max Muller, senhor, e moro na aldeia lá embaixo.

— Bem-vindo sejas, Max Muller. Sou Johann Konrad Dippel von Frankenstein! Não acredita nas bobagens que espalham a meu respeito. Como já fui pastor luterano e mais tarde larguei o sacerdócio, a própria igreja reformista se encarregou de espalhar uma campanha difamatória sobre a minha pessoa.

Animado pela confissão, o rapaz resolveu contar o que faltava.

— Na verdade, senhor, ouvi mais algumas coisas...

— Por exemplo?

— Que fazeis os mortos viverem novamente e voltarem a ser jovens... E que sabeis passar a alma de uma pessoa para outra com um funil.

Konrad Dippel explodiu numa gargalhada.

— Ai de mim, ainda não; antes fosse verdade! Confesso que estou empenhado em encontrar a fórmula da vida faz muito tempo. Acho que podemos prolongar nossa existência em até pelo menos 135 anos. Desde pequeno comecei, da mesma forma que você, a me perguntar de que era feito o céu e a Terra; por que as criaturas nascem e morrem. Esse ritmo que norteia todas as coisas, por que não poderia ser invertido? Na universidade de Giessen, onde me graduei em teologia, alquimia e filosofia, interessei-me especialmente pela estrutura do organismo e de como os diversos órgãos funcionam. Acho que o homem pode dominar muitos processos — basta que pesquise. Sendo um cientista, minha curiosidade é enorme, claro. Tal qual a tua, que fez com que entrasses em meu laboratório, mesmo sabendo das histórias que correm por aí. Não paro diante de nada: tento entender a vida e a morte e por isso faço experiências com seres vivos e com outros que já se foram.

— Então é verdade? — Max assustou-se, dando um passo para trás.

— Sim e não. Lido muito com animais mortos. Até mesmo com cadáveres de seres humanos me permito experimentar. Dedicando-me aos estudos alquímicos, o meu aprendizado com a matéria é sempre acompanhado de um crescimento interior. É o ouro espiritual que o verdadeiro alquimista almeja. Não se chega à Grande Obra sem uma metamorfose interior. Na nossa ciência procuramos a imortalidade física, não com vista ao poder e fama, mas para livrar o homem de todas as impurezas que levam à sua destruição e, destarte, recuperar o corpo divino e perfeito que todos nós tivemos um dia.

— Quando foi isso, senhor?

— Há milhões e milhões de anos, antes da Grande Queda. Falaremos sobre isso quando a hora chegar. Agora, segue-me.

Dippel dirigiu-se à bancada de madeira onde estavam expostos os instrumentos estranhos que Max tinha reparado. A mistura que borbulhava sobre o fogo agora produzia um cheiro horrível e muita fumaça amarela. Cheiro de enxofre, reconheceu Max. Será que o homem tinha mesmo a ver com Satanás? A voz de Dippel mudou o curso de seus pensamentos.

— Vê como são simples os aparelhos que um alquimista utiliza: isto aqui é uma retorta, este outro, um cadinho, aquele é um forno, aqui o alambique. O resto são pinças, foles, tubos. Além do fogareiro e do forno, óbvio. Sem fogo não há como fazer ciência.

Max fez menção de mexer na mesa, mas Dippel admoestou-o com severidade:

— Não toques em nada! Por enquanto és apenas um intruso a quem estou dedicando tempo e explicações nem sei bem por quê. No entanto, tudo tem uma razão de ser — falou de si para si —, até mesmo um garoto curioso que invade meu templo proibido. Se eu não tivesse entrado a tempo, sabe-se lá o que terias feito...

— Nada, senhor, garanto que só ia olhar...

— Um espírito científico não se satisfaz em simplesmente olhar. Haverias de querer mexer nas coisas. Qualquer erro e tudo isto aí que está em cocção poderia ir pelos ares.

Max aproximou-se do forno. Parecia com o de sua casa, só que o cheiro que saía da cozinha de sua mãe era delicioso, bem diferente do que sentia agora.

— O que está assando neste forno?

— Não disse que és curioso? — falou Dippel, sorrindo. — Garanto não se tratar de uma perna de javali para comermos no jantar. Quem sabe um pedaço de ser humano? — lançou a dúvida, observando Max empalidecer.

Num outro pote jazia uma mistura de forte tom vermelho que, conforme se olhava melhor, parecia tomar tonalidade azulada.

— Eis uma descoberta minha; obtida graças a uma mistura complicada, que não te revelarei.

Vendo o ar de tristeza do garoto, acrescentou:

— A menos que decida tomar-te por discípulo.

Max tremeu de antecipação:

— Oh, nobre senhor, é o que mais desejo, agora que vi tudo isso...

— Bem, Max, pelas qualidades que adivinho em ti, sinto-me inclinado a te ensinar os mistérios que durante tantos séculos são transmitidos apenas aos eleitos. Contudo, já te alerto que para te tornares meu discípulo, é mister que renuncies à vida lá fora. Serão muitas horas de estudo, de trabalho, de leitura. Virão decepções, alegrias, achados e perdas. Mas não poderás desanimar; terás de prosseguir na busca da elevação interior, sem tentar obter, por meio dos ensinamentos, riqueza ou poder, mas só bondade e crescimento. Logo conhecerás as leis cósmicas, aquelas que regem o universo e que têm causado inquietação à tua alma.

— Então encontrei mesmo o que eu quero! O que mais vou aprender, senhor? — perguntou Max, impaciente.

Dippel abarcou com um gesto todo o material que jazia em cima da mesa.

— Aprenderás a lidar com todos estes instrumentos. Da matéria-prima simples, como mercúrio e enxofre, usando somente estes simples artefatos, chego à pedra filosofal, que é a transmutação de tais materiais em ouro.

— Conseguiste mesmo? — o garoto arregalou os olhos.

— A transmutação metálica não é mais segredo. Não só eu, mas vários alquimistas conseguem realizá-la, dependendo do grau de purificação de seus próprios espíritos. O grande desafio, contudo, é a obtenção do elixir da vida eterna, pelo qual o homem ficará livre da carga de impurezas que adquiriu... A fórmula que nos dará a vitória sobre as doenças, o envelhecimento e a morte.

— Isso é possível?

— Estamos tentando. Eu e todos os que se dedicam ao estudo da Grande Arte.

— E como se faz?

— Trabalha-se, Max. Estuda-se, tenta-se sem desanimar, até que um dia... Aquele cadinho que você viu há pouco, por exemplo. Nas primeiras experiências eu pretendia fazer uma tintura vermelha para o tingimento de fios. No entanto, cheguei a um óleo de tom azul até então inexistente, uma nuance completamente diferente, de uma beleza única, de fazer inveja ao azul do céu e do mar. Esse óleo pode garantir a vida até bem depois dos cem anos. Eu mesmo o tomo regularmente e já faz algum tempo que mando misturar à comida do velho Friedrich. Não fosse pelo óleo, o velhinho já teria morrido.

— Mas não é verdade que quanto mais a vida se alonga, mais caduca a pessoa fica? — Max corou com a própria audácia de interpelar o sr. Dippel. — Quero dizer... com todo o respeito... o sr. Friedrich não está um pouco...

— Gagá? — completou Dippel, com uma risada. — Quando descobri o óleo, já era tarde para fazer alguma coisa pela cabeça do meu bom amigo.

Lembrando-se do que dissera a cozinheira sobre o ancião, questionou:

— Será que vale a pena viver mais tempo e não falar coisa com coisa?

— Paciência. Estamos apenas engatinhando e já consegui algumas vitórias. A fórmula tem de ser aperfeiçoada para que limpe o homem por dentro e por fora. Já imaginou voltar a ser jovem, nunca mais ter doenças, a mente funcionando melhor do que antes? Neste ofício, Max, o sucesso é irmão da determinação. Pode-se levar muitos e muitos anos para chegar ao resultado ambicionado. Ou talvez nunca chegar lá. O verdadeiro cientista não tem pressa, é perseverante e acredita no que busca.

Dippel fez uma pausa.

— Voltemos à nossa conversa. No momento, és a matéria-prima que me interessa.

— Eu, Excelência? — fez Max, surpreso.

— Sim, você mesmo. Não tenho filhos, pois mesmo tendo abandonado a vida religiosa, mantive-me casto, no início por obediência aos votos que prestei à Igreja, mas depois pela dedicação integral ao meu ofício. Caso venhas ser meu discípulo, serás também meu filho espiritual, a quem ensinarei toda a Arte e a Filosofia, bens que adquiri durante a vida. Após muitos anos de estudo, talvez consigas tornar-te um adepto, até mesmo chegar ao posto de alquimista. Daí em diante, quem sabe... poderás ser um iluminado, um artista que pelo seu trabalho chegue a realizar a *Ars Magna* e assim salvar todo o Cosmo. Prosseguirás sozinho, buscando dentro de ti a satisfação da vida plena.

Max não entendeu muito bem todas aquelas palavras. No entanto, o tom fervoroso com que foram pronunciadas o decidiu:

— É tudo que quero, senhor. Juro pela minha vida.

Dippel respirou longamente e mediu o garoto, olhando-o fundo nos olhos.

— Há muito tempo que não aceito discípulos. Desde que Swedenborg, aquele biltre, mostrou toda a sua ingratidão. Emanuel Swedenborg, o traidor que quis usurpar meu conhecimento. Ensinei-lhe pacientemente as artes ocultas, mas ele foi indigno, não cresceu espiritualmente. Movido pela inveja, voltou-se contra seu mestre. Quanta baixeza! Quando me desentendi com a Igreja, aproveitou para me acusar, dizendo que eu era um oportunista, vil demônio que fazia experiências malditas. Graças ao seu depoimento, fui preso, acusado de heresia.

Expressando mágoa, Dippel emudeceu. Após um silêncio carregado, o homem saiu de sua dolorosa meditação:

— Bem, mas essa é uma história que já ficou no passado. Espero não estar enganado contigo. Vejamos por que o destino quis que nossos caminhos se cruzassem.

— Podeis confiar em mim, Excelência. Serei vosso aluno dedicado pelo tempo que assim o desejardes.

— Está combinado, então. Agora vá procurar teu pai e diga-lhe que foste aceito como discípulo de Konrad Dippel.

Max teve de se conter para não se atirar nos braços do grande homem e dar-lhe um abraço comovido. Um pensamento freou sua agitação:

— E se ele não permitir?

— Isto cabe a ti resolver. Diga-lhe que, enquanto fores meu discípulo, morarás aqui no castelo e teu sustento será de minha responsabilidade. Poderás sair uma vez por semana para ver a família. Ah, diga-lhe, ainda, que entregarei a ele o pagamento pelo teu trabalho: dez moedas por mês, para serem usadas como ele achar melhor. Dessa forma, poderá contratar um ajudante para quando descarregar os víveres em teu lugar.

— Que ótimo, que ótimo! — exultava Max. — Tenho certeza de que ele deixará. A que horas devo chegar amanhã, senhor?

— Ao nascer do sol. E de agora em diante, chama-me mestre.

Mal cabendo em si de orgulho, entre reverências e agradecimentos, o rapaz andava de costas em direção à porta.

— Obrigado, muito obrigado. Não vos arrependereis de ter me escolhido, mestre. Até amanhã!

Carta de novembro de 2010

"Queridos,

Desculpem ter passado tanto tempo sem dar notícias, a não ser por mensagens tuitadas de que está tudo bem. Agora estou mandando esta carta, assim posso me alongar e também contar as coisas com maior liberdade. Aqui até a equipe de limpeza sabe entrar num computador e roubar todos os dados. Só mesmo os do centro de pesquisa, que contém poderosos meios de blindagem contra hackers, é que são razoavelmente seguros.

Como já contei pra vocês, mudei de equipe em outubro. A gente fazia pesquisa sobre tratamentos contra o câncer, injetando no paciente nanopartículas com quimioterápicos que atacam o centro do tumor, sem espalhar a medicação por todo o organismo. Muito legal, né? Só que no começo do mês fui transferida de novo. No começo fiquei um pouco chateada, eu estava bem entrosada no projeto anterior, mas assim que comecei a trabalhar nesse novo, alguma coisa aconteceu dentro de mim. Fiquei simplesmente endoidecida: estamos pesquisando injetar 'vida' em tecidos e órgãos mortos. Não é loucura, não. Acreditem, é uma possibilidade!

Não falei ainda sobre a minha vida social. A princípio achei o ambiente meio frio: fui bem recebida, mas nada daquelas expansões que nós, brasileiros, tanto gostamos. Aos poucos, no entanto, comecei a fazer amizades, moças e rapazes do mundo todo, pesquisadores como eu e que também foram escolhidos num duro processo de seleção, igual ao que fiz. Sempre que possível e o cansaço deixa, vamos dançar em alguma balada – as baladas aqui são INCRÍVEIS!!! Passeamos, vamos fazer compras no centro da cidade, sentamos em cafés, nos parques, que são muitos e lindos; nas sextas-feiras, happy hour em barzinhos. A vida é cara, ainda bem que a bolsa paga bem. Por enquanto o inverno não está sendo tão terrível quanto eu pensava. Há mais de uma semana está nevando. A primeira vez que vi a neve, logo depois de acordar e abrir a janela, foi um show! Dizem que quando para de nevar, fica tudo sujo e enlameado. Mas enquanto cai aquela fofura branquinha, a sensação de ver, pegar na mão, fazer bola de neve, é simplesmente indescritível. Senti uma felicidade imensa, como se voltasse a ser criança. Todos os lugares têm calefação, a gente não sofre muito – só mesmo quando põe o nariz para fora, mas depois de algum tempo acostuma-se. Já fui esquiar com a minha turma, levei tombos estrondosos até conseguir me equilibrar. E depois veio a parte melhor: entrar no chalé da montanha para um vinho quente e um fondue de chocolate. Isso, morram de vontade! Ou então, venham me visitar.

Como foi a operação da vó?

Bjs.

Liz"

E-mail de novembro de 2010

"Brrrr, que friozão! Desde a semana passada que está congelado. Comprei um casaco *show* com capuz, todo forrado. E também botas, gorro, luvas. O *look* ficou sensacional. Vou usar para vocês verem na próxima vez que a gente se falar pelo *Skype*, ainda que eu não goste de ter de marcar hora certa, calcular a diferença de fuso e tudo. Vocês sabem como sou distraída... Queria tanto que viessem para o Natal, mas entendo que o negócio aí tá barra, com a vó recém-operada (ainda bem que correu tudo bem). Mãe, como sempre sobrou pra você. Família, família... é isso em todo o lugar do mundo, só muda o endereço e o país. Bjks."

As peças do tabuleiro

Primeira peça: Mary, um anjo

"... minha vela já estava quase consumida, quando, pelo fraco clarão da luz quase extinta, vi abrirem-se os fundos olhos amarelados da criatura; ele respirou fundo e um movimento convulsivo agitou-lhe os membros."

Mary Shelley, Frankenstein

Londres, Skinner Street – 1814

— Minha filha, como mudou desde a última visita! Você era uma garotinha ainda... e agora, uma moça tão linda!

Godwin não se cansava de olhar a filha. Aos 16 anos, Mary era realmente linda, refinada, a pele imaculadamente alva e olhos cinzentos, amendoados, expressivos.

Mary abraçou o pai, sentindo-se culpada por não saber dizer se, no íntimo, estava ou não feliz em retornar ao lar. É certo que sentira falta do pai e de sua irmã, Fanny, mas o resto da família... Bem, o irmãozinho Charles, contra esse não tinha nada, era uma criança quieta até em excesso. Edward, filho da segunda sra. Godwin, agora trabalhava em Edimburgo. Mas Jane, a geniosa, mimada, egoísta Jane, era bem filha da megera que entrara em suas vidas para tirar-lhes a paz.

Mary andava afastada do complicado lar dos Godwin havia três anos: em 1811, passou uma temporada no campo inglês para se tratar de um problema no braço; no ano seguinte, a convite de um casal de amigos escoceses, grandes admiradores de Godwin, partiu para uma estada por tempo indefinido em Dundee, na Escócia.

A vida nos cinco meses em que ficou em Dundee mostrou-se divertida e saudável. A família era simpática e as duas filhas tornaram-se amigas inseparáveis da hóspede. Faziam longos passeios ao ar livre e o clima sufocante do lar paterno foi cedendo lugar a uma leveza nunca experimentada.

Numa breve visita a Londres, conheceu um casal jovem e belo, que jantava com sua família. Pelas cartas das irmãs, soube que o casal se separara, mas isso não lhe causou qualquer emoção especial como em Fanny e Claire, que tremiam de amor pelo rapaz bonito, rico, nobre e separado!

Passaram-se dois anos e Mary retornou ao lar. As irmãs só tinham um assunto:

— O sr. Shelley é lindo, um aristocrata, parece um príncipe... – suspirava Fanny.

— E agora está livre. A menos que ainda resolva voltar para Harriet – disse Jane. Ao que consta, ela está fazendo uma viagem sem data de retorno. Ela é muito bonita, mas também é frívola. Só quer gastar dinheiro em roupas e se divertir.

— Imagine só! Casada com um homem maravilhoso como aquele! Ela não o merece.

— Harriet é realmente muito linda. E tem a criança, a filhinha deles. Será que acabam reatando?

— Tomara que não. O sr. Shelley precisa de uma esposa que lhe dê valor, que o ame como ele deve ser amado. Enquanto isso, o papai o convidou para jantar aqui em casa todos os dias.

Cada uma das moças acreditava, no íntimo, ser a esposa certa, mas elas não ousavam confessar em voz alta suas pretensões.

Mary ouvia a conversa delas, sem muita atenção. Lembrava-se de ter conhecido muito superficialmente o objeto dos sonhos das duas, sem que tivesse lhe causado maior impressão. Sabia que ele devia ser muito inteligente e culto, já que seu pai não perdia a oportunidade de elogiá-lo. Além do mais, era generoso e ajudava os Godwin materialmente. Naquela noite, Shelley era esperado para o jantar.

Quando Mary e ele trocaram o primeiro olhar, a mágica se deu. Ambos sentiram, na mesma intensidade, a descoberta do amor verdadeiro, daquele sentimento que torna gêmeas, de pronto, as almas que se complementam.

Depois de olhares e sorrisos velados, vieram as conversas, confissões, mágoas. Mary queixava-se da madrasta que tornara impossível a vida naquela casa, do tanto que amava o pai, da falta que lhe fazia a mãe, cuja memória idolatrava e em cujo túmulo se sentava diariamente para ler e meditar. Shelley, por sua vez, falava de Harriet, do quanto sofrera pelo fato de a mulher ser frívola, desprovida de qualquer interesse intelectual. A realidade, no entanto, era que eles tinham uma filhinha, ele era casado e nunca mais estaria livre para amar. Não ousava falar em voz alta o que lhe ia na alma; Mary era tudo o que almejava em uma mulher: inteligente, cheia de personalidade, culta e de uma beleza clássica, diferente de todas as que encontrara até então.

No dia seguinte, Shelley surpreendeu o objeto de seus sonhos junto ao túmulo da mãe. Ao vê-lo, o coração da moça se acelerou, como se a própria mãe tivesse providenciado aquele encontro. Daí em diante passaram a ver-se diariamente no cemitério: leram em voz alta a obra de Mary Woolstonecraft, a quem ele também passou a cultuar; falaram de poesia, de filosofia, de ciência, de tudo quanto o espírito se alimenta. Falaram, sobretudo, do amor que os unia e da impossibilidade de concretizá-lo.

Shelley deu a Mary um exemplar de *Queen Mab*, livro de sua autoria que fora dedicado a Harriet. Mary guardou o volume, acrescentando à dedicatória que Shelley lhe fizera, uma outra, na qual jurava seu amor e terminava com a frase: "A você dedico a minha vida e este dom é sagrado...".

Shelley procurou Harriet para obter sua liberdade. Ela havia se mudado com a filha para a cidade de Bath e estava grávida de quatro meses. Shelley tinha por certo que o pai da criança era um certo capitão Ryan, com quem Harriet fora vista várias vezes. Na conversa que se seguiu, ele abriu o coração à ex-mulher, declarou-se apaixonado por outra e ofereceu-lhe uma polpuda mesada com a qual poderia viver da forma de que tanto gostava. Harriet aceitou mal a ideia. Caiu doente e Shelley, mortificado pela culpa, tratou dela com desvelo. Logo que as primeiras melhoras surgiram, ele voltou a falar do quanto necessitava de sua liberdade. Harriet jogou sobre Mary a responsabilidade pelo fim do casamento; esta, por sua vez, não tinha nenhuma pena da rival, que considerava fútil e egoísta, não tendo conseguido fazer feliz um homem tão precioso como Shelley. O coitado debatia-se entre dois fogos e passou a usar láudano para acalmar os nervos. Até que, finalmente, teve uma conversa definitiva com a mulher que amava:

— Mary, entendo que a união dos sexos é sagrada enquanto contribui para a felicidade dos cônjuges e fica naturalmente dissolvida desde o momento em que os males superam os benefícios. Por esse motivo, sinto-me totalmente livre dos laços que um dia me uniram a Harriet.

— Você sabe que penso da mesma forma. — retrucou Mary. Desde pequena aprendi isso com meu pai e também nos livros de minha mãe. O casamento é apenas uma convenção social.

— Eu sei que não tenho nada a oferecer, nem sequer o direito de aspirar a receber um sim ao que vou propor; talvez até a ofenda. Mas a verdade é que não imagino a minha existência sem você ao meu lado. Vamos fugir para bem longe e viver nossas próprias vidas.

Mary mal esperou o final da frase:

— Aceito, querido, aceito de todo o coração.

Na data combinada, Shelley passou a noite diante da casa dos Godwin. Às quatro da madrugada chegou o cabriolé que alugara. Mary esgueirou-se para fora da casa, acompanhada por Jane, que implorara para ir junto. Acomodadas as bagagens, os três partiram, dispostos a enfrentar as consequências do ato mais audacioso de suas vidas.

Twitter @familiamedeiros dezembro de 2010

"HO, HO, HO, *Merry Christmas***, família adorada. Vamos falar pelo** *Skype* **à noite. bjsssss. Liz"**

A história que o taberneiro contou

II
ALEMANHA, VILA DE NIEDER-BEERBACH - 1694
PRIMEIRO OBSTÁCULO: OBTER O CONSENTIMENTO PATERNO

O caminho de volta à cozinha pareceu bem mais fácil e rápido.

— Por onde andaste, criatura? — exclamou Heinz. — Eu já estava preocupado.

— Pai, aconteceu a coisa mais maravilhosa do mundo! O sr. Dippel me convidou para ser seu discípulo! E ainda vai pagar salário de dez moedas por mês, que serão entregues para o senhor!

Sem tomar fôlego, pôs-se a contar de sua escapada para o interior do castelo, o encontro com o velho Friedrich e como foi flagrado a bisbilhotar no laboratório de Dippel.

Heinz franziu o sobrolho:

— Deves estar no meio de mais um de teus delírios. Acorda, rapaz, e bota os pés no chão.

— Mas é verdade, pai. Ele gostou da minha curiosidade e disse que tenho — como é mesmo? — ah, espírito científico, assim como ele próprio. Contou que desde criança sonhava com as mesmas coisas que sonho, saber como funciona a natureza, o mundo, o dia e a noite, o sol, o vento, as nuvens...

Heinz interrompeu. Já conhecia de sobejo o discurso do filho e sabia que, quando começava, não parava tão cedo.

— Chega! Já que não me ajudastes a descarregar, atrela nosso cavalo à carroça. Já está mais do que em tempo de irmos embora. Quero chegar à casa antes do anoitecer.

Inconformado, o menino foi ao estábulo arrear o cavalo.

— Como esse meu filho inventa coisas, Hilde...

— Pode ser verdade, Heinz. Se bem que acho estranho o sr. Dippel convidar alguém para trabalhar com ele.

— Dippel está no Castelo?

— Sim. Enfurnado naquele laboratório. Já faz alguns meses que não se ausenta de Darmstadt.

— Antes ele estava quase sempre viajando...

— Pois é. Costumava ser convidado para dar palestras e aulas por toda a Europa. Dizem que fala bem como o diabo, convence qualquer um de suas ideias. Mas ai daquele que tiver ponto de vista diferente. Torna-se inimigo mortal!

— Não me diga!

Hilde continuou, com admiração:

— O sr. Dippel é um homem inteligente, culto, ótimo médico. No entanto, seu temperamento é terrível. Não admite ser contrariado, é bom alertar teu filho caso vá mesmo trabalhar com ele.

— Como vou saber se Dippel de fato convidou Max para auxiliá-lo?

Uma voz soou do outro lado da cozinha:

— Devias confiar na palavra de teu filho, meu bom homem. É assim que se forma o caráter. Mas se ela não basta, aqui estou para confirmar o pedido.

Hilde e Heinz sobressaltaram-se. Na soleira da porta, Dippel em pessoa os observava.

— Perdão, Excelência — murmurou Heinz, arrancando o gorro que lhe cobria a cabeça. Estava claramente intimidado por presença tão ilustre. — Sem dúvida, acredito no garoto, mas, às vezes, ele viaja nos próprios sonhos, Vossa Mercê não pode imaginar. Cheguei a pensar que os miolos do garoto estivessem avariados.

— Por minh'alma, não fales parvoíces, homem. O rapaz tem o juízo perfeito! Apraz-me sua inteligência e vivacidade. Não considero sem importância a aparição de um garoto que tem sede de saber no meu laboratório. Por isso convidei-o a trabalhar comigo.

O silêncio pesou na cozinha.

— Falta moldar o espírito. Será um trabalho árduo — Dippel prosseguiu. — Ele terá de se tornar um estudioso, preocupado a cada dia em melhorar o próprio interior, ao mesmo tempo em que aprenderá os segredos da medicina e da alquimia. Quem sabe venha a se tornar um sábio e, mais ainda, um iluminado. Tudo dependerá dele.

Heinz torcia o gorro nas mãos calejadas, ao mesmo tempo em que esfregava compulsivamente o pescoço, gesto que repetia quando estava preocupado. Dippel continuou:

— Tagarelam muita coisa a meu respeito na aldeia, sei disso. Garanto, no entanto, que é tudo mentira, infâmias plantadas pela inveja e disseminadas pela ignorância. Como bem sabes, procuro curar, aliviar as pessoas das doenças que as acometem. Não cobro pelos meus serviços de quem não pode pagar. Pratico a medicina como se fosse uma religião. E, com auxílio da alquimia, busco fórmulas mais eficazes para garantir a saúde e a felicidade.

Heinz ouvia tudo de olhos baixos, sem parar de esfregar o pescoço e revirar o gorro.

— Podes ficar tranquilo. Teu filho só tem a lucrar trabalhando comigo. É como se fosse a uma universidade, mas, neste caso, sem qualquer custo para ti. Ao contrário, ganharás dez moedas por mês. Oportunidade igual ele não terá... Caso não dê sua autorização, o futuro do garoto será lavrar a terra ou ir para o exército. É isso que queres para teu filho? Não convém cortar o rumo do destino.

O camponês já ia abrindo a boca para responder quando um bramido histérico o impediu:

— Pelas chagas de Nosso Senhor, não deixes levar o menino. Ele veio me visitar, é um bom garoto. Já esse aí é um impostor, um demônio que escarra sobre a cruz. Jamais foi um Frankenstein, família antiga e nobre. No entanto, usurpou-lhes o nome. É um apóstata, um herege, um feiticeiro que deveria ser queimado na fogueira.

Um ódio tenaz brilhava nos olhos do velho Friedrich, que apontava Dippel com a mão trêmula.

— O que fazes aqui, vovozinho? Devias estar descansando no teu quarto — recomendou Dippel, com paciência.

— Vovozinho coisa nenhuma, filho do diabo! Onde estão teus antigos discípulos? Onde está Emanuel Swedenborg, que denunciou este bruxo? Morto! E o homúnculo, uma aberração que ele quer criar, fecundando com o próprio sêmen ovos de galinha e tapando o orifício com sangue de menstruação, que ele consegue das jovens da aldeia sabe-se lá sob quais ameaças?

Atraídos pelos gritos, os criados do Castelo acorreram à cozinha. Hilde tentava, em vão, acalmar o velho.

— Sr. Friedrich, acho melhor ir para teu quarto. Deixe que Tekla o leve.

Aproximou-se uma jovem rechonchuda e sorridente que tomou o velhinho pelo braço.

— Isso, vovozinho, melhor descansar. Não tens tomado o chá que receitei? — perguntou Dippel.

— Deus me livre dos teus chás! Estou velho, mas não quero morrer assassinado para depois ter meu corpo utilizado nas tuas experiências macabras. Que a lepra te coma a boca, que rebentes...

Enquanto a criada conduzia o idoso para fora da cozinha, Dippel balançava a cabeça, obviamente aborrecido.

— Coitado do Friedrich. Cada vez mais senil. Tens-lhe dado os remédios, Hilde?

— Eu bem que tento, senhor, mas muitas vezes ele desconfia e cospe tudo, por mais que estejam disfarçados em meio à comida.

Virando-se para Heinz, que se mantivera a um canto durante toda a altercação, Dippel justificou:

— A cena que acabaste de presenciar foi lamentável. O pobre Friedrich está visivelmente divagando — é o preço por ter atingido idade avançada. Pergunte a Hilde e aos demais criados se alguma vez viram qualquer coisa insólita ou algum sinal da visita do demônio aos meus aposentos.

Fez-se silêncio entre os serviçais. Hilde voltou a assegurar a Heinz que tudo não passava de boatos sem fundamento.

Finalmente, o camponês saiu do pasmo:

— Excelência, estou sem saber o que dizer. Fui pego de surpresa. Gostaria de conversar com a mãe do garoto antes de dar minha resposta. Sabeis como são as mulheres. Não querem abrir mão dos filhos...

— Por certo. Consulte sua esposa. Longe de mim criar problemas na família. Mas tenha em mente que assim como foi espontâneo o meu convite, poderei mudar de ideia e voltar atrás. Ou então, quem sabe se um novo rapaz curioso não se esgueira pelo meu laboratório? — falou, sorridente.

— Sim, Excelência, entendo. Será como Deus quiser.

— Assim será. A Providência tem seus desígnios. Se tentarmos modificá-los, alteramos o curso de uma vida inteira. Pense bem, sr. Heinz, pense bem.

Assim falando, Dippel girou bruscamente nos calcanhares e se afastou, sem dizer adeus.

No dia seguinte, bem cedo, Max chegou ao castelo, ofegante. Subira a encosta o mais rápido possível. Ainda não acreditava que tivesse quebrado a resistência paterna. Teve de fazer toda a espécie de promessas: não faria nada que sua consciência ou religião condenasse. Garantiu que o sr. Dippel era um homem de cultura e que poderia ensinar-lhe uma profissão respeitável, já que não poderia sonhar em ir para a universidade; que fora uma dádiva dos céus surgir aquela oportunidade, sem a qual estaria fadado a uma vida sacrificada, como o pai e o avô. Claro, não estava criticando nem reclamando de nada: jamais lhe faltara comida na mesa e uma boa cama. Mas seus sonhos iam além; queria aprender, sair daquele horizonte estreito que seria seu futuro, não fosse pelo sr. Dippel.

— Isso é verdade, Heinz — a mãe considerou. — Max é o mais inteligente de todos os nossos filhos, e nós não temos recursos para mandá-lo à universidade.

— Que mal há nisso, Marianne? Trabalhar a terra diminui alguém?

— Não, marido. Mas Deus provavelmente tem outros planos para o menino...

— Como aprendiz de Dippel? Morando longe de nós?

— Se eu fosse para o exército também estaria longe, como meus irmãos — interrompeu Max. — Bem mais longe do que no Castelo.

— O sr. Dippel é um homem respeitado, um médico que já curou muita gente aqui da aldeia — prosseguiu a mãe.

— Mas as coisas que falam dele... O próprio Friedrich, hoje no castelo...

— O sr. Friedrich está caduco, pai, o senhor mesmo ouviu a cozinheira dizer. E as coisas que espalharam por aí... tudo invenção. O sr. Dippel me contou. Boatos lançados pela Igreja quando ele resolveu se afastar, e, sobretudo por um antigo aprendiz, invejoso da fama e do conhecimento do meu mestre.

— Mestre? Tu o chamas de mestre? — observou Heinz, contrariado.

— É o que ele será, e eu, seu discípulo caso eu tenha seu consentimento.

Já era bem tarde da noite quando Heinz, a contragosto, deu a autorização.

— Espero que nenhum de nós vá se arrepender — disse, preocupado.
— Que Deus te abençoe.

— Pai, tenho certeza de que essa decisão vai permitir que eu tenha uma carreira e o futuro com o qual venho sonhando. Obrigado! Obrigado a você também, mãe. Juro que não vou decepcioná-los. Vocês terão orgulho de mim.

Abraçando os pais, o rapaz foi correndo para a cama. O sono, no entanto, não chegava. Em sua mente, lembrava cada palavra da conversa que tivera com o grande homem, o mais sábio e nobre de toda aquela região. Seu mestre, que haveria de fazer dele um grande homem também.

O dia ainda não tinha raiado, quando Max, cansado de virar de um lado para outro na sua enxerga, entre sonhos e pensamentos, resolveu se levantar. Vestiu-se depressa e saiu, antes mesmo de ver seus pais. Estava pronto e disposto para caminhar em direção do seu destino que ficava no cume de uma montanha, tão alto quanto suas ambições.

E-mail de dezembro de 2010

"Family,

Estou tendo um *White Christmas* de sonho, como aquele que a gente vê em cartões-postais: as árvores cobertas de neve, tudo mais silencioso. Aqui não se comemora muito, as pessoas passam em família. No nosso apê montamos uma árvore de Natal e fizemos um jantar melhorzinho do que o dos outros dias. Até peru teve. Fiz manjar branco com coco, de sobremesa. Elas nunca tinham experimentado. Sucesso total. Beijinhos da Liz"

As peças do tabuleiro

Inglaterra, 1810-1814
Segunda peça: Percy, um anjo perdido

"Vento, faze de mim a tua lira, como é esta floresta! Que importa, se as minhas folhas caírem como as suas!... Tornar-te por meus lábios para a terra adormecida, a trombeta de uma profecia! Ó vento se o inverno vem é possível que a primavera esteja longe?"
Percy Shelley in A vida de Shelley, *André Maurois*

Alto, magro, olhos muito azuis e sonhadores, Percy Shelley vinha de uma linhagem de homens bonitos. Seu bisavô, sir Bysshe Shelley, homem riquíssimo, gastara uma fortuna na construção de uma mansão na aldeia de Field-Place, no condado de Sussex. No entanto, morava numa casinha, atendido por um único criado, para não gastar em demasia com a manutenção da grande casa, cercada de um parque e florestas. Sir Bysshe era excêntrico: passava os dias na taverna local falando de política e ironizando tudo e todos. As duas filhas fugiram de casa por não mais aguentarem o temperamento rude do pai. Em consequência, foram cortadas do dote. Sua fortuna crescia e o único desejo que tinha era multiplicá-la e transmiti-la às futuras gerações. Como desprezava o próprio filho, nomeou o neto, Percy, como herdeiro único.

Este, contudo, diferentemente do esperado, gostava de poesia e filosofia, tinha ideias próprias que não cuidava de esconder.

Shelley era uma alma nervosa, delicada e, ao mesmo tempo, violenta. Imaginativo, lia e inventava histórias de bruxas, fantasmas e monstros que acabavam por perturbá-lo a ponto de misturar fantasia com realidade. Achava que para vencer os medos era preciso enfrentá-los. Para tanto, fazia certos rituais invocatórios de forças malignas.

Gostava de repetir diante das duas irmãs experiências científicas que as assustavam. Estudante em Eton, vinha passar as férias com a família. Nessa época encontrou na irmã mais velha, Elizabeth, e na prima Harriet duas seguidoras. Levava-as para o cemitério local e, sentado sobre as tumbas, discorria para as duas embevecidas alunas sobre o bem e o mal, a religião, os sentimentos, os preconceitos, a justiça e, sobretudo, a liberdade. E o amor, claro, sempre o amor.

Shelley lia muito: Homero, Virgílio, Horácio, Goethe e, no campo da filosofia e política, Locke, Hume e Voltaire. Mas foi ao tomar conhecimento da obra de certo William Godwin que ocorreu uma verdadeira revolução no seu modo de ver o mundo. Passou a ter em Godwin um verdadeiro guia.

Em outubro de 1810, ingressou na Universidade de Oxford. Shelley encantou-se com tudo: seu próprio quarto, um criado para servi-lo, livros, muita liberdade para assistir às aulas quando bem entendesse e, sobretudo, escrever, andar à toa, ler. Mas não durou muito a permanência: primeiro, um editor entrou em contato com a família revelando a intenção do jovem em publicar um livro cheio de princípios "subversivos". Aproximavam-se as férias de Natal e Percy foi para casa. Lá, encontrou o ambiente carregado: o pai e a mãe profundamente desgostosos com as teorias do filho. Harriet, com quem pretendia um dia se casar, estava distante e evasiva. A moça mostrara aos pais as cartas cheias de noções liberais que Shelley lhe enviara de Oxford, e deixou-se convencer de que o rapaz não servia como pretendente. Que vida levaria casada com uma pessoa cheia de ideias tão bizarras? Na primeira oportunidade, a moça comunicou-lhe sua decisão com toda a frieza do mundo. Shelley pensou em se matar e dormiu com uma arma ao lado do travesseiro.

As férias transcorreram arrastadas e ao voltar para Oxford publicou um livro chamado *A necessidade do ateísmo*, sob pseudônimo, que expôs na vitrina de uma livraria local. Para completar a façanha, enviou exemplares acompanhados de cartas de próprio punho ao vice-chanceler e aos professores. Chamado perante um tribunal do colégio, negou-se a responder às perguntas feitas pelo deão quanto à autoria do indigitado livro, e por essa razão foi expulso da tradicionalíssima instituição de ensino. O colega e amigo inseparável, Jefferson Hogg, assim que soube das novas, tomou as dores de Shelley: escreveu uma carta ao deão, imediatamente entregue por um criado enquanto o tribunal ainda estava reunido. Hogg foi chamado à presença das autoridades, perante as quais não só reconheceu a autoria da carta como fez uma defesa veemente do amigo. Foi expulso na mesma hora.

Os dois partiram juntos para Londres. Depois de muita procura, decidiram alugar um quarto na rua Polônia, entusiasmados pelo nome da rua e porque os cachos de uva do papel de parede pareceram-lhes belíssimos.

O pai de Shelley tentou uma aproximação: foi a Londres e convidou os dois moços para um almoço. Queria que o filho se retratasse do alegado ateísmo. Mas não contava com a postura recalcitrante do orgulhoso Shelley, que defendia seus princípios com unhas e dentes. O almoço acabou em nada. Hogg, mais acessível, dias depois acabou por ouvir o próprio pai, e foi estudar Direito na cidade de York, onde um emprego num escritório de advocacia o aguardava.

Assim, os dois amigos se separaram, ficando para Shelley o encargo de arcar com as despesas do quarto, na rua Polônia. É óbvio que o temperamento inquieto não pararia de entrar em enrascadas. Talvez seja o preço do talento. Enquanto, na solitude, escrevia versos cheios de melancolia, o pouco dinheiro de que dispunha terminava com alarmante rapidez. Os pais recusavam-se a falar com o filho. O que lhe valeu foram as irmãs, que estudavam num internato perto de Londres. Nas visitas que fazia a elas, com os bolsos cheios de doces e biscoitos, e as ideias latejando em seu cérebro, reunia as demais alunas para expor suas opiniões extravagantes a respeito de religião e política. Elas vinham como abelhas para o mel, magnetizadas por aquele moço lindo como um deus, loiro, olhos sonhadores de poeta, herdeiro de imensa fortuna e com a aura de rebelde a aumentar-lhe o encanto. Nessas ocasiões, as duas irmãs davam-lhe o pouco que conseguiam salvar do dinheiro que recebiam de casa. O destino encarregou-se do resto: os pais de Percy foram cientificados das visitas e ele recebeu ordens de espaçá-las. Coincidentemente, a moça mais formosa da academia, por acaso de nome Harriet – um nome que já o fizera sofrer –, não era interna e passou a servir de leva e traz das pequenas quantias e dos recados entre os irmãos. Óbvio. Ele era tudo quanto a moça ousara sonhar para marido. Encurtando a história: os dois fugiram juntos, acrescentando mais lama à imagem poluída do rapaz. Ao saber do fato, o pai de Harriet exigiu que se casassem na igreja e a união foi oficializada alguns meses antes do nascimento da primeira filha do casal. Perante a própria família, Shelley tornou-se definitivamente a ovelha negra e não logrou obter qualquer ajuda financeira.

A vida do par resultou num total desastre. A bela Harriet não queria saber de poeta pobre, e sim de nobre rico. Os dois não partilhavam os mesmos gostos, não tinham nada em comum; ele, filósofo, culto, cheio de vida interior, ao passo que ela, frívola, superficial, desinteressada do que não fossem... vestidos, penteados e vida em sociedade.

Foi nessa época que Shelley conheceu pessoalmente seu idolatrado Godwin e passou a frequentar-lhe a casa. Mary estava na Escócia, passando um período com uma família de amigos do pai. As visitas do poeta tornaram-se diárias. Passaram-se dois anos até que o destino juntasse os dois. De volta ao lar, a moça séria, culta, amante das letras, da ciência, das artes, herdeira da inteligência e das ideias revolucionárias de seus notáveis pais, causou profunda impressão no rapaz, o que foi recíproco. Não levou muito para que a paixão transbordasse e eles decidissem contrariar as convenções sociais. Fugiram juntos para uma vida plena, apesar de todos os percalços – e não foram poucos que encontraram no caminho. Durante todo o tempo de vida em comum, amaram-se profunda, livre, totalmente. Foram felizes até o fim.

E-mail de janeiro de 2011

"Cé e Bia, amores,

O que vocês fizeram no *réveillon*? A nossa passagem do ano foi bacaninha. Primeiro, uma festa no laboratório; depois, saímos com a galera e fomos encher a cara num barzinho na cidade. Tomei um porre homérico, chorei que nem bebê, de saudades de casa, de preocupação com a vó e os pais, de solidão, apesar da turma legal que fiz. E por que não dizer? Saudades do Guto também. Não é fácil esquecer. Acho que a neve ajudou a me deixar nostálgica. Megarressaca no dia seguinte. E vocês? Cé, não trocou de namorado? Se ainda estiver com o atual/antigo, você estará batendo o próprio recorde de continuidade com o mesmo homem. E você, Bia? Quem é o do momento? Eu continuo solteiríssima, não tô a fim de ninguém por aqui. Ando comportada, tipo freira, não sei por quanto tempo, espero que não muito. bj. bj.bj."

E-mail de janeiro de 2011

"Mãe e pai, FELIZ ANO NOVO. Espero que tudo corra bem neste ano e que a vó fique boa logo. Mamãe, nada de se preocupar comigo, você tem coisas mais urgentes pra pensar. Sou grandinha, sei tomar conta de mim. Claro que tenho me alimentado bem, não precisa nem perguntar. Aliás, você tem me visto no *Skype* e no *Facebook*. Dá para notar que ando comendo mais do que preciso, né? Queridos, quero que vocês saibam que adoro ser médica, amo a pesquisa e estou feliz. Papai, obrigada pelo dinheiro extra, mas não quero que você mande mais, sei que estão sobrecarregados com a doença da vó. O que recebo é mais do que suficiente para levar uma vidinha boa. Lembrem-se que não pago acomodações nem refeições dentro da universidade. O mais é para os extras, só que, como trabalho muito, não tenho tempo de ficar jogando dinheiro fora. bjs. Liz"

A história que o taberneiro contou

III

A Grande Arte

Alemanha, Vila de Nieder-Beerbach — 1694

Max tornou-se discípulo de Dippel. Em pouco tempo aprendeu a manejar os instrumentos e a memorizar as fórmulas que seu mestre lhe ensinava. Passavam os dias no laboratório e só saíam para colher, no belo bosque contíguo ao castelo, folhas e raízes usadas para fazer xaropes, tisanas, emplastros. Seu mestre era considerado bom médico e nunca se recusava a atender um aldeão, fosse a hora que fosse. Para os que não podiam pagar, fornecia os remédios de graça e muitas vezes mandava Max até a casa do doente para ver como estava passando. O discípulo ia aprendendo, assim, os rudimentos da medicina. Mas o que gostava mesmo eram as experiências no laboratório. Surpreendia-se com os fenômenos que ocorriam sob seus olhos, tendo testemunhado, boquiaberto, a transformação de alguns metais em ouro. Era um processo ao qual não tivera acesso até então. O mestre só lhe mostrava o resultado.

Um dia, foi pego de inopino:

— Prepara-te, Max. Hoje vais passar por um teste iniciático: farás sozinho a Grande Arte.

Tremendo de antecipação, o rapaz murmurou:

— Senhor, será que consigo?

— É isso que quero ver. Fecha os olhos, concentra-te e fica alguns segundos com os melhores e mais puros pensamentos.

Max fez como lhe foi dito. Fechou os olhos, respirou fundo e pensou em um mundo melhor. Naqueles instantes, pousou os olhos na envolvente imensidão do firmamento, a natureza se abrindo em flores, as estações se sucedendo num ritmo infalível desde o início dos tempos; seguiu mentalmente o curso dos rios e do mar, que ainda não conhecia mas que podia vislumbrar. Essa contemplação foi interrompida pela voz do mestre, que parecia vir de muito longe.

— Pronto! Vamos iniciar: coloca o enxofre e o chumbo no cadinho.

— Quanto de cada, mestre?

— O tanto que já separei. Algum dia, no futuro, pode ser que eu revele as quantidades. Vamos em frente: agora agita a mistura com essas varas metálicas até eu mandar parar.

Max obedeceu. O material posto sobre o fogo foi mudando de cor: preto, nuances de cinza, branco, até chegar ao vermelho. Já estava com o braço doendo de cansaço quando recebeu ordem de cessar.

— Vê como se formou uma estrela na superfície do líquido? É resultante da reunião de cristais, o que é muito auspicioso. Significa que estamos no caminho certo. Agora, deixa o cadinho descansando em cima da mesa. Na estante, vais encontrar um papelucho dobrado. Pega com muito cuidado e traz até aqui. Avia-te, rapaz, nada de delongas a menos que queiras pôr tudo a perder.

Max apressou-se a seguir as instruções. Alcançou na estante o embrulhinho que parecia corresponder à descrição.

— Este, mestre?

— Esse mesmo. Agora, com toda a precaução, desembrulha e encontrarás um pó. Não percas nenhuma poeirinha desse pó, caso contrário a transmutação não acontecerá.

Abrindo delicadamente as dobras, Max encontrou um pó de cor cítrica.

— Joga esse pó na mistura do cadinho e deixa em cocção, mexendo sempre com a vara metálica até que eu determine parar.

Assim foi feito. Depois do que pareceu bastante tempo para o aprendiz, o mestre mandou esvaziar o cadinho num recipiente limpo. Estupefato, Max constatou que o enxofre desaparecera e o chumbo... bem, o chumbo virara ouro puro!

— Mestre! — exclamou Max. Será que meus olhos não estão a me pregar uma peça? A mistura virou ouro mesmo?

Dippel desatou a rir, dando uma pancadinha amigável no ombro de seu discípulo.

— Teus olhos não te enganam, meu rapaz. A matéria transmudou-se em ouro, mais puro do que o ouro comum usado pelos ourives. Mas a melhor notícia é que não me enganei com relação a ti. Ainda que as instruções tenham vindo de mim, foste o operador; como obtiveste sucesso, significa que estás atingindo a pureza espiritual. Em continuando assim, poderás vir a te tornar meu filho espiritual!

Interlúdio

"...O cair da tarde era tal que poucos paralelos poderiam ser encontrados em beleza...; uma torre em ruínas, com suas janelas desoladas, erguia-se no cume de uma outra colina que mergulhava no rio..."
Mary Shelley, História de uma viagem de seis semanas...
(tradução livre da autora)

Seis semanas de aventura

De Londres a Callais – 1814

Os três fujões, refestelados no cabriolé, riam de tanta alegria. Era uma mistura de agitação com uma ponta de medo: medo do desconhecido, medo de serem pegos pelos pais e obrigados a voltar. Os quatro cavalos galoparam até a exaustão, sendo trocados na cidade de Dartford por outros, descansados, que continuaram no mesmo passo para fugir dos eventuais perseguidores. Shelley tinha certeza de que Godwin viria em seu encalço, o que fazia com que a aventura se tornasse cada vez mais excitante.

À medida que o dia esquentava, Mary começou a se sentir mal. O chacoalhar ininterrupto pelas estradas empoeiradas, o calor e a falta de conforto no interior do cabriolé fizeram com que se sentisse enjoada.

Foram obrigados a parar várias vezes para descanso. Com isso, somente doze horas mais tarde chegaram a Dover, e às seis da tarde entraram no pequeno barco que os levaria a Callais, na França. A travessia do Canal da Mancha deveria levar não mais que duas horas, e o entardecer se insinuava agradável, embalado por uma brisa constante, propiciando aos três viajantes um pouco de descanso. De súbito, uma ventania passou a soprar cada vez mais indiscreta, o mar se encapelou e a frágil embarcação era jogada de uma onda para outra, a água entrando pelas amuradas. Mary voltou a se sentir mal, a cabeça deitada no colo de Shelley que alisava seus lindos cabelos e secava sua testa, onde o suor se misturava com a água do mar. Pesadas nuvens negras prenunciavam a tempestade que logo desabou. Raios iluminavam a noite escura e trovões estouravam nos ouvidos apavorados dos passageiros.

Finalmente, terra firme. Estavam prontos para iniciar a aventura.

Foram seis semanas, durante as quais percorreram a França, chegando até a Suíça. Por vezes, o fato de duas jovens viajando na companhia de um rapaz era tido como indecoroso, mas ao que se saiba Shelley nunca foi infiel a Mary, tendo em Jane uma irmã mais nova, com quem na maior parte do tempo se dava bem, ainda que tenha havido brigas e reclamações de parte a parte.

Para Mary, a meia-irmã acabou por se tornar um entrave. Queria viver em paz a vida a dois, sem a presença constante da moça. Jane sempre fora tempestuosa, difícil de conviver. Cabelos e olhos negros, inteligente e esperta, fora desde pequena a queridinha da mãe e, em consequência, mimada e acostumada a obter o que desejasse. Não era intelectual como Mary e Percy e adorava chamar atenção para si, fingindo medos e sustos, inventando pesadelos para poder dormir junto com a irmã e o cunhado.

Mary, que durante a viagem engravidara, estava farta. Desde a fuga, tinham ido a Paris e de lá decidido atravessar o campo francês a pé até a Suíça. Ideia absurda, considerando a distância a ser percorrida: mais de 400 quilômetros!

Compraram um burro para carregar as malas ou as meninas, quando se cansassem. Ainda não tinham sequer chegado ao meio da viagem quando Shelley torceu o tornozelo e um trio estranho causava surpresa ao chegar às cidadezinhas: as moças a pé, o rapaz montado no burrico.

Não dava mais para continuar desse modo, o burro estava cada vez mais exausto. Decidiram, então, comprar uma charrete puxada por um cavalo e assim percorreram os campos devastados pela guerra. Mary ficou chocada com o que viu: pobreza, devastação, o povo entristecido, suas casas queimadas pelo inimigo, o gado morto, os bens pilhados. A pobreza espalhara-se pelo país, mesmo já tendo terminado os combates. O orgulhoso povo francês agora enfrentava horas e horas de trabalho mal-remunerado. Os salários eram baixíssimos, não davam sequer para o sustento das famílias. Em todos os lugares por onde passavam eram tratados com rudeza, pois, sendo ingleses, representavam o inimigo vencedor. As hospedagens eram escassas e sujas, a comida, pouca, os quartos, conseguidos a duras penas, mostravam toda a decadência e os ratos passeavam livremente por toda a parte.

Em 19 de agosto de 1814, chegaram à Suíça. Estavam exaustos e Shelley num estado de ânimo péssimo. Para completar, Mary enjoava todas as manhãs e a onipresença de Jane só agravava o humor do casal.

Dias depois, atravessaram o lago Lucerna até Brunnen, onde alugaram dois quartos por seis meses. Mas como o dinheiro era quase nenhum, decidiram que o melhor seria voltar para a Inglaterra. No dia seguinte fizeram as malas e partiram, viajando pelo rio Reno e conhecendo muitas cidades e aldeias da Alemanha. Adoraram a paisagem que se descortinava ao longo do rio, na mesma medida que detestaram seus companheiros de embarcação: alemães, que consideraram grosseiros e escandalosos. No dia 13 de setembro, estavam de volta à Inglaterra, sem dinheiro nem mesmo para pagar o capitão do navio que os trouxera. Foram salvos por Harriet, a esposa de Shelley, que entre acusações e lamúrias, emprestou ao marido um mínimo, para as necessidades mais prementes. Dessa maneira terminaram as seis semanas de aventura.

E-mail de fevereiro de 2011

"Queridos,
Obrigada pelos votos, cartões virtuais de aniversário (amei aquele que explode o champanhe e voam as pombas, kkk), telefonemas etc. As minhas colegas de apê encomendaram um bolinho e convidaram metade da universidade, tinha gente quase saindo pela janela. Ganhei uns presentinhos muito fofos, mas o melhor da festa foi a festa mesmo. Amei. Bjão da velhota de 28 anos (putz, falta pouco para que eu vire trintona)."

E-mail de fevereiro de 2011

"Pessoas amadas,
Faz uma semana que chove sem parar, a neve derreteu, ficou uma lamaceira, o céu está cinza-chumbo, fico de mau humor só de olhar pela janela. Parece que o sol nunca mais vai aparecer. E no Brasil deve estar um calorão de rachar, coisa boa! Peguei uma gripe monstro, não faço outra coisa senão espirrar e tossir. Ai, que vontade de estar em casa, ganhar chazinho de limão na cama. Aqui ninguém cuida de ninguém. Gente, tô brincando, não é nada sério, só um gripão. É muito ar-condicionado, gelado nos laboratórios e quente em todos os outros lugares. Haja organismo para encarar tanto choque térmico. Bjão Liz"

E-mail de fevereiro de 2011

"Cé, não entendo por que você continua a trabalhar com esse escroto do seu diretor. Manda ele praquele lugar. Acho que você se acomodou depois de tantos anos e não quer arriscar alguma coisa nova. Se ao menos eles pagassem bem! Nem isso, nem horas extras, e ainda falta de reconhecimento. Cai fora, irmã. Sei que mudanças são difíceis, você acha que pra mim tá moleza? No começo eu não conseguia dormir e chorava de tanta saudade. Ainda por cima, romper com o Guto, sem mais, a frio? Depois daquele *e-mail* cuja cópia te mandei, ele me escreveu com ódio, me chamando de carreirista, de fria, de egoísta, e eu nunca respondi me defendendo. Mas meu coração ficou em pedacinhos. Claro que vocês nunca perceberam pelo tom dos meus *e-mails* sorridentes e empolgados, mas só agora é que começo a me sentir mais tempo feliz do que triste. Cé, você precisa mudar o rumo da sua vida, chega de ficar em casa cuidando dos velhos. A Bia tudo bem, ainda está na faculdade, mas e você? Vai ficar esperando casamento? Você é muito inteligente para isso. Arruma uma bolsa de trabalho, sai de casa, vem conhecer o mundo e viver a tua vida. bjs. Liz"

As peças do tabuleiro

Terceira peça: Byron, um anjo caído

"Vivi, amei, diverti-me como tu;
Estou morto: que a terra abandone meus ossos;
Enche, amigo – não podes fazer-me mal;
Os vermes têm lábios mais feios que os teus."
  Don Juan ou A fascinante vida de Lord Byron, *André Maurois*

Londres (rua Holles) – Janeiro de 1788

Como a prenunciar o que estava por acontecer, houve uma erupção vulcânica na Islândia. Era essa a razão, diziam os londrinos assustados, da violência com que chegou o inverno naquele ano. Londres, coberta pela neve, mostrava-se de uma brancura desoladora e assustadoramente fria.

No dia 25 daquele inverno, num pequeno cômodo em cima de uma loja, Catherine Gordon, aos 22 anos, entrou em trabalho de parto.

— Força! — a parteira e o médico tentavam animar a paciente, já exausta do longo tormento que não havia meio de terminar. — Vamos, vamos, mais força. Respire. Agora, vamos lá. Já dá para ver o topo da cabeça. Força, força.

Mais um tempo de horror, no qual a parturiente se sentia dilacerar e rogava pela morte, até que o médico exclamou:

— Agora... está vindo... empurre, empurre, mais um pouco. Aqui está! É um menino!

Um vagido irritado ecoou nos ouvidos exaustos da mãe.

— A senhora ganhou um rapazinho — anunciou a parteira, já começando a limpar o serzinho que acabara de chegar reclamando.

Chamou o médico de lado:

— Veja, doutor, veja isso.

O médico já tinha notado o que a parteira tentava lhe mostrar. O garoto tinha um pé deformado.

Ao segurar o filho, a mãe notou o defeito.

— Doutor, o que é isso? — fez, horrorizada.

— É um defeito de nascença, senhora.

— Não se pode fazer nada para corrigir essa coisa medonha?

— Infelizmente, não. Mas no mais, ele é uma criança perfeita, poderá levar uma vida normal.

Foi esse o palco que recebeu George Gordon Byron, que nele brilharia anos mais tarde como um dos mais sublimes poetas que a Inglaterra produzira. E também um dos mais refinados pulhas sem caráter que aquela ilha jamais abrigara.

A fama dos Byron era tão antiga quanto a sua nobreza. O detentor do título e dono dos domínios era um tio-avô do menino, a quem chamavam Lorde Cruel.

Seu pai, apelidado de Jack Maluco, pilantra, dissoluto e falido, não esteve presente ao nascimento porque não podia pisar em solo inglês, a menos que quisesse cair nas garras dos credores. A perspectiva da prisão por dívidas era o único horizonte que se abria para o estroina. Casara-se com a gorducha, barulhenta, implicante e feiosa Catherine

Gordon, descendente de senhores feudais que, a seu tempo, aterrorizaram os moradores de Gight, ao norte da Inglaterra, onde ficava o castelo da família. Também eram ladrões, homicidas e estupradores. Os Gordon tiveram muitos filhos ilegítimos. Só alguns poucos parentes afastados, que moravam na Escócia, eram honrados, e por isso fizeram forte oposição ao enlace de Catherine com Byron. Mas a moça não tinha mais ninguém no mundo: o avô se suicidara, o pai idem, a mãe e as irmãs também partiram deste mundo bastante cedo. Catherine Gordon tornou-se a única herdeira do castelo e de uma fortuna respeitável. Por seu lado, Jack Maluco não renegava a origem: como lídimo representante dos Byron, era alto, belo e sem princípios. Dissipou em pouco tempo a herança da mulher numa vida de aparato e luxo. Em seguida, largou-a grávida e sem recursos.

Sozinha num quarto alugado e sem dinheiro, a moça viu-se às voltas com um recém-nascido malformado, o que para ela significava uma praga, um estigma por ter feito um casamento desastroso, contra a vontade da família.

Irritadiça e invariavelmente mal-humorada, teve de criar o menino, a quem chamava de "pirralho coxo". Ele era desobediente e endiabrado, mas consta que aos seis anos já traduzia Horácio, e aos oito, lera a Bíblia inteira. Quando ingressou no ginásio, conhecia de ponta a ponta *Don Quixote*, de Cervantes, além de outros clássicos. Desde cedo era apaixonado pela Turquia, cuja história lera, assim como pela Roma antiga e por guerras e aventuras que lhe foram ensinadas por seu preceptor. Enquanto isso o pai, Jack Maluco, arruinava a saúde na França, onde veio a falecer de tuberculose em 1791, cheio de dívidas, que deixou em testamento para o filho. Catherine teve de pedir dinheiro emprestado para pagar as contas do marido.

Byron crescia um menino brilhante e, apesar de lindíssimo, o complexo por causa do pé malformado o mortificava.

Com a morte de seu tio-avô, Lorde Cruel — antecedida pela do filho —, George tornou-se, aos dez anos, o sexto Lorde Byron. Em agosto de 1798, Catherine levou-o para assenhorear-se de seus domínios, uma antiga abadia em Newstead, na Escócia. O garoto adorou o castelo sombrio, quase em ruínas, as passagens intrincadas e os longos corredores desertos e misteriosos, cujos arcos góticos faziam ecoar cada passo. Para maior encanto do herdeiro, havia até o fantasma de um monge que assombrava a antiga abadia, que fora transformada, no passado, em residência da família, e palco de inúmeras bacanais. Escolheu para si o quarto do finado Lorde Cruel, no qual a espada que usara para assassinar um primo pendia ao lado do brasão da família. Não demorou nada para que o menino incorporasse o papel de nobre: assumiu atitude arrogante e exigia vassalagem de todos que o cercavam.

Mãe e filho se detestavam. Byron tinha horror àquela a quem chamava de "Furiosa", e que nunca lhe poupara o fato de ser coxo, atirando-lhe o fato na cara, para em seguida abraçá-lo e beijá-lo, arrependida. Mais tarde na vida, ele passou a acusá-la de omissa, uma vez que o tratamento dolorosíssimo a que tivera de submeter-se no afã de corrigir o pé torto deveria ter se iniciado bem mais cedo, ainda na primeira infância. Por causa da mãe, achava ele, sofrera à toa.

O legado do tio-avô mostrou-se insuficiente para saldar todas as dívidas que contraíra em vida. Dessa forma, Byron e sua mãe continuavam sem recursos. Graças ao título aristocrático do filho, Catherine conseguiu obter uma pensão civil de 300 libras por ano, autorizada pelo rei. Não era uma grande quantia, mas assegurava alguma renda.

Na escola, a princípio foi ridicularizado pelos colegas por causa do defeito físico, o que o levou a exercitar-se para enfrentá-los. Em pouco tempo fez-se respeitar. Foram quatro anos de internato no Colégio Harrow, escola severíssima que tinha na punição corporal o método predileto para talhar o espírito dos jovens.

Nesse período conheceu sua meia-irmã Augusta, filha de um casamento anterior de Jack Maluco. Ele e Augusta viriam, no futuro, a manter relações incestuosas e foi ela o amor mais duradouro de toda a sua vida.

Ao ingressar na Universidade de Cambridge, mandou decorar ricamente seus aposentos, com prataria, mobiliário refinado e cristais; como animalzinho de estimação, um urso de verdade; dava festas nas quais o vinho era servido em crânios humanos. Era seu costume espezinhar todos que o amavam, exceto Augusta, com quem não pôde viver abertamente em virtude do parentesco. Relacionou-se com mulheres e homens, sendo que, quando estudante em Cambridge, nutriu grande amor por um colega, John Edleston, de quem teve de se separar, uma vez que na Inglaterra georgiana relacionamentos homoeróticos eram considerados crime e punidos com a prisão.

Aos dezenove anos, decidiu fazer uma viagem ao Oriente, que tanto o atraía. Levou com ele amigos e servidores. Visitou Lisboa, Cádis, Gibraltar, Malta, onde se apaixonou por uma mulher casada; Albânia, onde foi hóspede do paxá, que se encantou pela formosura do jovem; Turquia e, finalmente, Grécia, para ele indubitavelmente o berço da civilização.

Com as viagens nasceu uma de suas obras mais importantes, *Childe Harold's Pilgrimage*, um poema narrativo e em boa parte autobiográfico, no qual descreve as aventuras do Cavalheiro Harold. Ao retornar para a Inglaterra no ano seguinte, ficou órfão de mãe, e na mesma ocasião soube da morte do seu amado John Edleston, o que muito o entristeceu.

Em 1812, tomou assento na Câmara dos Lordes e fez o primeiro discurso. Contava vinte e quatro anos de idade quando publicou, com enorme sucesso, os dois primeiros cantos de *Childe Harold*. Em quatro semanas, nada menos do que sete edições se esgotaram. Era a consagração! O poema causou comoção e paixões, mulheres se ofereciam a

Byron, tido como o próprio objeto da aventura contada em rimas. Ele as recebia e as abandonava, com igual sem-cerimônia.

O relacionamento íntimo com a irmã Augusta começou pouco depois e resultou numa filha, Medora. O sucesso literário prosseguia: *O Corsário*, uma de suas narrativas orientais, teria vendido 14 mil exemplares no dia de sua publicação, se é possível dar crédito ao que declarou o autor!

Em 1815, depois de muito insistir, conseguiu a mão da aristocrática Annabaella Milbanke, com quem se casou e teve uma filha, Augusta Ada. Byron agiu como o crápula que era com a esposa desde o primeiro dia de casados, e acabou sendo abandonado pouco depois do nascimento da filha. Consta que dois dias após o parto ele a teria brutalizado de forma infame.

Byron passou a ser evitado pela sociedade londrina e partiu em nova peregrinação junto com seu médico particular, John Polidori, dessa feita para Waterloo, o Reno, a Suíça, onde passou um período numa casa à beira do Lago Leman, chamada Villa Diodati, onde escreveu o terceiro canto de *Childe Harold*. Lá, foi anfitrião de Mary e Percy Shelley, o filhinho de ambos, William, e a irmã por afinidade de Mary, Clara Jane Clermont, agora chamada de Claire, que era sua amante. Viajou pelos Alpes, sempre produzindo muito. Em seguida para Veneza, após a venda de seu castelo em Newstead, o que lhe permitiu levar uma vida pródiga e libertina. Prosseguiu viagem pela Itália, esbanjando a fortuna em cavalos, castelos, criados e amantes. A essa altura já terminara o quarto canto de *Childe Harold*, muito bem recepcionado na Inglaterra.

Byron instalou-se em definitivo na Itália em razão de uma ligação com a bela condessa Tereza Guicciolli, uma jovem de dezoito anos que se casara fazia um ano com um conde sexagenário. O *affair* se dava às claras, uma vez que, naquela época, na Itália, ter um amante era comportamento costumeiro entre as classes altas.

O sonho de Byron era morrer como herói. Não foi o que o destino lhe reservou. Mas o panteão de glória no qual se imortalizou foi o das letras. Muitas obras nasceram da pena de mestre desse poeta. Algumas, alegres; outras, apaixonadas; outras, ainda, cheias de melancolia. Uma das mais famosas, a princípio rejeitada na Inglaterra por cantar o vício e a degradação, foi *Don Juan*, célebre até hoje.

Byron, o homem, era a personificação da arrogância, devassidão, esbanjamento, falta de caráter. No entanto, sua poesia — tão bela, tão perfeita — revela Byron, o gênio, um dos maiores escritores da língua inglesa. É preciso dissociar artista e persona para evitar que um contamine o outro. O sublime e o sórdido, o poeta e o homem num só indivíduo. Uma personagem e tanto!

E-mail de março de 2011

"Family,

Surpresa: terminei o estágio em tempo mínimo — seis meses, e me convidaram para trabalhar na faculdade, como pesquisadora plena. Acabo de assinar o contrato: dois anos e um bom salário. Não via a hora de contar a vocês!

Mais uma novidade: faz dois meses que estou namorando um carinha daqui. Na verdade ele é tão gênio que às vezes me pergunto se é normal ser assim. Ele é americano, se chama Larry, lindo de morrer (um pouco baixo, míope, sardento, mas é o meu número). Trabalha em outra equipe, é físico nuclear, não é mais estagiário. Hiper inteligente, sempre de bom humor, tem cara de garotão apesar dos trinta e oito anos (será que dez anos de diferença é muito?). A gente se dá super bem. Já combinamos uma viagem pelo Reno assim que melhorar o tempo e aparecer um raiozinho de sol. Ele já foi uma vez e diz que é lindo. Beijos a todos e não parem de mandar notícias mesmo quando eu não escrevo. Adoro todos os *e-mails*, piadinhas e novidades que vcs mandam. Até mesmo as orações que, é claro, não passo adiante como geralmente o texto pede, mas que me fazem sentir bem, mais perto de casa. AMO VOCÊS TODOS!!!"

E-mail de março de 2011

"Cé, esse é só para vc no seu *e-mail*. Peguei o gato ruivo na minha festinha de aniversário depois de muita cerveja. Não sei se é porque a gente tava bêbado ou porque tinha de rolar mesmo, mas faz duas semanas que juntamos as escovas de dente. Não conte pros pais, senão eles vão se preocupar, dizer que nem sei quem é, pode ser um *serial killer*, blá-blá-blá. Deixei o meu apê coletivo e fui me aboletar no ninho do meu amor, que ganha bem e mora sozinho. Outras namoradas entraram e saíram, mas eu vim para ficar, rs. O legal é que a gente tá se curtindo pra caramba, só não gosto do jeito machista do meu sapo/príncipe: eu arrumo o apê e esquento a comida, mas botei o bruto pra lavar louça e limpar o chão da cozinha e do banheiro. Topou depois de muito resmungar, nem parece americano. Ele é muito legal, charmoso, razoavelmente bom de cama (de 0 a 10, uns 6, 7 no máximo) e um gênio de cabeça. Me sinto minúscula perto do meu baixinho. Virei discípula; ele me fala de tudo: filosofia, literatura, física, química, história, geografia, o que você puder imaginar ele sabe! Outro dia me levou a um concerto, achei lindo, ainda que não entenda nada. Mas conta de você, conta tudo! Saudades dos nossos papos nas madrugadas. Bjões.

P.S.: tem mais: ele cozinha bem!"

A história que o taberneiro contou

IV
Alemanha, Vila de Nieder-Beerbach - 1694
A caminho da iluminação

Após aquele primeiro êxito, o aluno foi ganhando a confiança do mestre. Ambos trabalhavam incansavelmente, desde cedo até o cair da noite. Só paravam para as refeições, feitas numa saleta contígua à cozinha. Essas ocasiões eram cercadas de todo o formalismo. Sentados frente a frente nas cabeceiras da mesa de carvalho, cercados de pratas e cristais, eram servidos por empregados uniformizados.

Dippel gostava de comer bem. Ensinou Max a desenvolver um paladar apurado para as delícias da alta culinária e das boas bebidas, além de modos cavalheirescos à mesa.

O discípulo pouco lembrava aquele rapazola que, meses antes, se esgueirara pela oficina do alquimista. Aprendera a se vestir, a combinar as roupas que seu mestre lhe dera. Os velhos tamancos foram postos de lado e, em seu lugar, entraram botas de cano alto, do mais fino couro. Completara-se a modificação com um corte de cabelo, de acordo com a moda da época. Agora, Max tinha o aspecto e as maneiras de um gentil-homem. Faria boa figura em qualquer salão. No entanto, ele não frequentava a sociedade. Restringia-se ao velho castelo e ao bosque nas cercanias, em longos passeios nos quais o mestre pontificava sobre filosofia, matemática, astrologia, química e ciências naturais.

Pouco a pouco, passou a entender das chamadas leis cósmicas, que regiam o universo e que tanto o intrigavam. Aprendeu, também, os nomes científicos dos reinos animal, vegetal e mineral. Já sabia como preparar remédios extraídos das plantas e preocupava-se com o bem-estar físico das pessoas. Tentava, ainda, desvendar os mistérios da alma, sobre os quais Dippel discorria com frequência.

Nem tudo era agradável, porém. Havia tarefas que, no início, lhe causavam asco, mas que teve de superar. O mestre, durante os tempos de universidade, especializara-se em anatomia e dispôs-se a transmitir os princípios ao jovem auxiliar.

— Para que possamos alongar a vida e curar doenças é fundamental ver por dentro como são compostas as várias partes do organismo. Órgãos que permitem que tenhamos as funções vitais; músculos e nervos responsáveis pelo movimento; ossos e coluna que seguram toda a estrutura; veias e artérias, os rios por onde correm o sangue; a pele que nos recobre... E não é tudo. Aos poucos aprenderás a perfeição dessa máquina que faz os seres viverem, e o asco dará lugar ao maravilhamento.

O discípulo ajudava a dissecar bichos mortos como sapos, cobras, gatos, cães, ovelhas, galinhas e lebres. Em seguida, os pedaços eram mergulhados em uma substância que, segundo Dippel, tinha o efeito de conservá-los por um bom tempo, e fechados em frascos.

À noite, dedicava-se à leitura dos livros que lhe eram indicados, especialmente os de autoria do mestre. Max, cheio de vontade de agradar e também de aprender, estava determinado a se tornar um sábio.

Cada vez menos sentia falta de casa. Quando estavam em meio a alguma experiência, queria abrir mão do dia de folga e só não o fazia por imposição de Dippel.

— Para crescer interiormente, não deves causar tristeza à tua família. Ela aguarda com ansiedade o dia de tua visita.

Lá se ia o rapaz obedientemente, recriminando-se por dar preferência ao próprio aprendizado em lugar de querer ver os pais. Dessa forma não se tornaria uma pessoa melhor e viria a falhar numa próxima experiência alquímica por puro egoísmo!

Venerava Dippel. O homem reunia tudo o que ele gostaria de ser um dia. Era-lhe de uma fidelidade quase canina, seguia-o o tempo todo como uma sombra, mas uma sombra muito curiosa, que vivia a fazer perguntas. Não se cansava de trabalhar até tarde da noite; muitas vezes só se separavam de madrugada, quando o mestre se dirigia aos próprios aposentos e o aluno, ao pequeno quarto que lhe fora designado, perto do laboratório.

Até disso sentia falta quando visitava a família. Em sua casa dormiam todos num único cômodo, cada um na sua enxerga e se cobriam com cobertores grosseiros. O irmãozinho, ainda bebê, chorava a mais não poder e custava a dormir. As gêmeas eram sossegadas, mas ele, imerso no seu próprio mundo, jamais tivera grande apego aos irmãos. Os mais velhos pouco vira desde que partiram para o exército, e os menores não passavam de criancinhas.

No Castelo, tinha um quarto só seu, uma cama macia, lençóis e um baú onde guardava a roupa.

À noite, era comum ouvir os passos familiares do mestre andando pelos corredores. Mais de uma vez estancavam diante de seu quarto e Dippel entrava de mansinho. Max fechava os olhos e prendia a respiração, fingindo dormir. Então, Dippel saía silenciosamente e prosseguia até o laboratório, fechando a porta atrás de si.

Numa dessas vezes, Max decidiu seguir o mestre. Queria saber o que o outro tanto fazia no meio da noite sem solicitar sua ajuda. Foi o primeiro de uma série de erros.

E-mail de abril de 2011

"Que máximo que você vem, Cé! A Monica chilena vai tirar alguns dias de férias, então vai ter uma cama livre e você pode ficar aqui comigo, no apê. Não vejo a hora de ir te buscar no aeroporto. Acho que vou me pendurar no seu pescoço e ficar te abraçando por meia hora. O Larry e eu já combinamos tudo: você vem conosco na viagem pelo Reno. O tempo está bem decente e tende a melhorar a cada dia. Pena que só vamos ficar juntas uma semana. Se desse, eu bem que pedia afastamento por quinze dias e ia fazer o resto da viagem com você, mas não há como me ausentar por tanto tempo do projeto em que estou trabalhando. Beijos, chegue logo, estou contando os dias. Liz"

As peças do tabuleiro

Quarta peça: Claire Clermont, o pivô do encontro
Inglaterra-1814

> "Se uma mulher, cuja reputação permaneceu até hoje imaculada, sem guardião ou marido para controlar, se atirasse de encontro a vossa benevolência; se com um coração galopante ela confessasse o amor que nutre por vós há tantos anos... Poderíeis atraiçoá-la ou ficaríeis silente até a sepultura?"
>
> (tradução livre da autora)

Com a carta acima, Jane, aliás, Claire, como passou a exigir que a chamassem por achar mais sofisticado, tentou se atirar nos braços de Byron, por quem estava perdidamente apaixonada. Byron não deu a mínima atenção; ele estava mais do que acostumado à investida das mulheres, que não resistiam à fama do poeta, à aura de sedutor do homem e à beleza do fidalgo.

Após a fuga e as seis semanas de viagem com Mary e Shelley, a última coisa que Claire queria era voltar para a Inglaterra. Mas o dinheiro acabara e não havia outra solução.

A moça não se conformava; saíra de casa para acompanhar a ousadia amorosa de Mary e Shelley e queria emoções iguais para si. Voltar à vidinha insossa na casa dos Godwin, ela que conhecera o mundo e a emoção da liberdade... No início bateu pé: não retornaria ao lar paterno. Acabou por se mudar para uma cidadezinha costeira chamada Lunmouth, de onde escrevia cartas variando entre a mais negra autopiedade e a felicidade total, conforme o humor do momento. Quanto à vida sentimental, se sua irmã tinha conquistado um poeta ainda desconhecido, ela iria além: para si, nada mais nada menos do que o consagrado e insuflado Lord Byron, homem mais velho, mais experiente, cujas aventuras corriam de boca em boca, deixando os simples mortais de queixo caído — fosse de inveja, fosse de reprovação. Pois era justamente esse o homem que Claire resolvera conquistar. Não mediria esforços, atirar-se-ia em seus braços fortes, o Adônis a quem os deuses dotaram de fama, linhagem, beleza, talento, magnetismo. Por ele, jogaria todas as cartas, até a mais preciosa, a mais preservada até então: sua virgindade.

Byron era suficientemente cínico para não recusar a oferta contida na carta, mas a princípio não deu maior atenção. Só que Claire, agora aos dezessete anos, se não era linda, possuía mente ágil. Vendo que a carta não surtira efeito, acenou com algo que poderia servir de isca: se fosse da vontade do poeta, marcaria um encontro para apresentar-lhe a filha dos célebres William Godwin e Mary Wollstonecraft. Byron acedeu de pronto. Convidou as irmãs para uma visita. Sem saber da paixão que obcecava Claire, Mary acompanhou-a à mansão de Byron, em Londres, e ficou fascinada pelo homem, muito diferente do que ela esperava.

Só que o objetivo da moça ainda não tinha sido alcançado. Ela queria realmente seduzir o poeta. Então, planejou uma escapada para um lugar suficientemente distante de forma a não chamar atenção, onde passariam a noite. Assim, Claire obteve sua noite de amor com Byron. O caso se estendeu por pouco tempo. Logo o poeta se cansou e partiu para uma viagem. Ao saber que ele pretendia ir para a Suíça, a obstinada sonhadora arquitetou um plano para segui-lo. O destino veio em sua ajuda: Mary e Shelley, que agora tinham um filho, William, estavam pensando em se mudar da Inglaterra para a Itália. Afora as dificuldades financeiras, Shelley estava desanimado com as críticas ruins que seu livro *Alastor* recebera. Claire conseguiu convencê-los a ir para a Suíça, onde apresentaria o cunhado a Byron, o que poderia resultar num bom impulso para sua carreira literária.

A ideia foi bem recebida, e em maio de 1816 Mary, Shelley e Claire novamente partiram juntos, levando consigo o pequeno William. Foi esse o começo do que viria a se tornar a estada mais afamada da história da literatura.

Twitter @Celia – abril de 2011

"Viagem comprada no barco.
O Reno nos aguarda. bjs"

A história que o taberneiro contou

V
Alemanha, Vila de Nieder-Beerbach - 1694
O preço da curiosidade

Dippel não notou a presença do aluno até sentir a respiração do rapaz sobre seu ombro. Em cima da mesa, um coelho vivo se debatia sob as mãos do cientista, que, com uma faca, arrancava-lhe pedaços de pele e parte das entranhas. Sentindo-se observado, de pronto encobriu o bicho agonizante com seu próprio corpo.

— O que fazes aqui? — perguntou, irritado. — Ah, essa maldita curiosidade.

Max não conseguia tirar os olhos do local onde ocorria a tortura.

— Ele está vivo, mestre... — conseguiu balbuciar.

— Sim, claro que está vivo! Está servindo de cobaia para meus experimentos, ora.

— Mas isso é maldade — exclamou Max, arrependendo-se imediatamente do aparte. Como ousava questionar o mestre sobre sua conduta?

— Max, Max... — Dippel balançava a cabeça. — Às vezes me pergunto se nasceste mesmo para essa profissão. Tenho de fazer o que chamas de maldade com estes animaizinhos, se é que pretendo curar o homem dos padecimentos que o corpo lhe causa. Está tudo aqui dentro, vês?

Puxando o relutante discípulo para perto de si, mostrou-lhe o organismo em pleno funcionamento, enquanto o bicho esvaía-se em sangue.

— Observa como funcionam os órgãos, que maravilha é a máquina que nos faz viver. Vamos estudar cada parte. Quem sabe assim progredimos nos conhecimentos e a ciência dará um grande passo. E isso tudo graças a von Frankenstein.

Assim falando, gravou com um ferro em brasa o próprio nome na pele do animal, que agora já não mais sentia dor.

Diante do olhar horrorizado de Max, Dippel esclareceu:

— Um dia também marcarás com tua assinatura as peças que estiveres estudando. Inclusive nos cadáveres de humanos, que todo estudante de medicina tem de aprender a dissecar a fim de aprender fisiologia.

— Marcar para quê? Nunca farei isso, mestre.

— Marcar para que não roubem o trabalho.

— Quem haveria de querer um pedaço de morto? Que valor tem?

— Mais do que imaginas. Cada pedaço destes é fruto de muitos experimentos, de muito labor. Ao se avançar no conhecimento e enquanto não se chegar a resultados, todo cuidado é pouco para evitar que algum insensato os subtraia. Aqui, neste laboratório, somos só nós dois, mas na universidade éramos dezenas dividindo uma só mesa. Então se aprende, desde logo, a marcar suas peças. É como a assinatura do autor no final de um poema.

Max não conseguia ver poesia alguma naquilo tudo.

— Mestre, desculpai meu atrevimento, mas agora não precisais mais assinar nada desta maneira, a menos que desconfieis de mim...

— Ora, rapazelho — retrucou Dippel, ríspido. — Pensas ser muito ladino. Então, achas que sabes tudo o que faço? Há coisas para as quais não estás preparado, e nem sei se estarás algum dia. Satisfaz-te em aprender o que ensino, e não te intrometas onde não és chamado. Agora, ordeno-te que voltes imediatamente para teu quarto e só saias de lá quando eu chamar. E nunca mais me siga nem ouse me surpreender, entendeu?

Max obedeceu, cabisbaixo. Pela primeira vez, sentia-se decepcionado com aquele que até então idolatrara. Não tivesse visto com os próprios olhos, jamais acreditaria que o mestre se entregasse a experimentos tão macabros.

No dia seguinte encontrou o preceptor ainda de cara fechada. Trabalharam em silêncio até a hora em que Hilde, que se apegara muito ao rapaz, veio avisar que o almoço estava servido. Anunciou, orgulhosa:

— Hoje fiz um dos teus pratos prediletos, Max: guisado de coelho com batatas.

O jovem imediatamente lembrou-se da véspera e sentiu-se enjoado.

— Obrigado, Hilde, mas não me sinto inclinado a comer carne hoje. Batatas serão suficientes...

— O que é isso? — exclamou a cozinheira. — Desse jeito vais ficar fraco e teu pai dirá que não estou cuidando direito da tua alimentação.

Max riu amarelo e emudeceu.

À mesa, Dippel quebrou o silêncio.

— Vou viajar por alguns dias. Irás para a casa de teus pais até a minha volta.

Um frêmito percorreu o corpo do discípulo:

— Mestre! — exclamou. — Não estais me mandando embora por causa do que aconteceu ontem, não é? Como estou arrependido! Não pretendia assustar-vos nem meter o nariz em vossas experiências.

Diante do desespero do rapaz, Dippel amenizou o tom e sorriu.

— Como és tolo! Claro que não te estou mandando embora. Preciso me ausentar, vou para a Holanda fazer algumas experiências com um colega.

— E não posso ficar aqui até vossa volta, mestre? Poderíeis me dar algumas tarefas; posso fazer uma boa faxina no laboratório. Claro, só mexerei no que permitirdes....— aduziu rápido.

— Não, rapaz, tu vais para a casa de teus pais. Fica com eles alguns dias, faz-lhes companhia. Aproveita para descansar. Devo voltar em uma semana e muito trabalho nos aguarda.

— Quando partis?

— Amanhã de manhã, bem cedo. Deixar-te-ei na aldeia. Arrume tuas coisas à noite.

No dia seguinte, sentado ao lado de Dippel no interior do coche negro, Max não dizia palavra. Estava mortificado. Tinha certeza de que essa mudança de rumo tinha sido causada pela sua trapalhada na véspera. Tudo por causa da maldita curiosidade! Se o mestre soubesse o quanto se arrependia e o quanto estava sofrendo...

Ao chegarem à aldeia, Dippel ordenou ao cocheiro que parasse.

— Desce aqui mesmo, Max. Tua casa não fica longe, não é?

— Não, mestre — murmurou o aluno, quase chorando.

— Vamos, não faças este ar de tristeza. Assim que eu voltar, mandarei que te avisem. Agora, quero ver-te a caminho de casa.

Já do lado de fora, o rapaz ainda suplicou:

— Mestre, juro que nunca mais...

Dippel não lhe deu oportunidade de prosseguir. A um sinal, o cocheiro estalou o chicote no ar e o coche partiu em disparada, levantando uma cortina de poeira.

E-mail de maio de 2011

"Amados

Fizemos a viagem pelo Reno. Indescritível de tão linda. Visitamos várias cidadezinhas que pareciam paradas no tempo, com castelos, pracinhas, jardins, casas antiquíssimas, cada uma mais lindinha que a outra. Postei as fotos no Facebook, vocês viram? Foi muito legal. Uma curiosidade numa aldeiazinha chamada Nieder... onde o tempo parou, pequena, charmosa, cerveja maravilhosa feita lá. Sentamos numa cervejaria e o dono puxou papo. Enquanto nos entupia de linguicinhas e salsichas e nos embebedava com canecões de chope, contou a história do castelo em ruínas que fica no alto de uma montanha. Sabem que ele pertenceu ao Frankenstein? Quer dizer, a uma família antiquíssima chamada Frankenstein. Apesar de toda a comida e bebida, subimos até as ruínas. Dizem que foi lá que Goethe escreveu o Werther e que Mary Shelley se inspirou para escrever o superfamoso Frankenstein (pelo menos, roubou o nome da família, rs). Como eu não tinha lido o livro, o Larry, que é culto pra chuchu e já leu tudo, deu um exemplar para mim e um para a Cé. Gente, que história! Pensar que a autora tinha só dezenove anos quando bolou o romance! O Larry nos contou, e depois eu li no prefácio, que Frankenstein foi escrito em Genebra quando Byron, que era famosão, lançou um desafio aos seus convidados que passavam o verão com ele, de cada um escrever uma história de terror. Pois bem: de todos os escritos, o que realmente ficou famoso foi o de Mary, que nem escritora era. A história é linda, torci muito pelo monstro, achei que ele foi injustiçado. Se vocês ainda não leram, recomendo. Eu tinha visto o filme, mas nem se compara com o livro. Continuando a história do castelo, dizem que lá viveu um bruxo alquimista, um tal de Konrad Dippel, que fazia experiências com cadáveres e tentava ressuscitar os mortos. Hoje em dia ele seria nosso colega de laboratório e começaria seu próprio *startup* kkk!!! A Cé vai contar tudo quando chegar aí. Foi ótimo estar com ela, passear, saber das novidades brazucas e, sobretudo, fazer a viagem pelo Reno com a minha irmã e meu sapo encantado. Vocês nem imaginam o quanto significou para mim. Inté, pessoal, tenho que voltar para o trampo. Beijos."

E-mail de maio de 2011

"Cé, só para você. AMEI a sua visita. Viu como é tudo bacana por aqui? A universidade, os laboratórios, é muito surreal, né? E não pude te mostrar as coisas que rolam nos labs porque é sigiloso. Mas deu pra ter uma noção, ao menos. Que tal a ordem, a limpeza, não só no *campus*, mas na cidade? E aqueles gramados tão verdes e bem cuidados onde fizemos piquenique? Passo horas deitada na grama macia, como todos fazem aqui, para pegar um pouco de sol enquanto se estuda, lê um livro, ou fica só pensando na vida. A vida na Alemanha é uma delícia, principalmente agora que já sou fluente na língua. A minha turminha súper gostou de você. O Larry te adorou. O amigo dele, Tom, então, nem se fala, apesar de você ter fugido de todas as investidas do coitado. Dessa vez acho que o namorado brasileiro te fisgou mesmo, nunca te vi tão fiel. E as paisagens que a gente viu pelo Reno! Aquela história do castelo do Frankenstein que o dono da cervejaria contou me deixou com medo! (sério, cheguei a sonhar). Então, já leu o livro que meu fofo te deu? Ô, semana que passou tão depressa. Mas valeu! Conte como foi o resto da viagem. Munique é *show*, tenho certeza de que você curtiu. *Küsse, Deine Schwester*"

Um verão sem sol

A aposta

GENEBRA, VILLA DIODATI — 1816

"Uma chuva quase constante nos confina praticamente à casa... As tempestades de verão que nos visitam são as maiores e mais terríveis que jamais vi..."

Mary Shelley, História de uma viagem de seis semanas
(tradução livre da autora)

As mansões que circundavam o lago Leman eram alugadas naquela época do ano pela melhor sociedade, que vinha para a Suíça em busca do calor, da paisagem deslumbrante e dos esportes aquáticos. Velejar no grande lago azul era uma experiência das mais prazerosas e concorridas.

No entanto, naquele ano o céu parecia de chumbo, somente interrompido pelo reluzir dos raios, acompanhado de trovoadas ensurdecedoras. Os dias passavam monótonos e as conversas acabavam em silenciosa observação da dança do fogo, engolindo as achas que se retorciam nas lareiras.

Lord Byron alugara a Villa Diodati, uma mansão construída no século XVII. Situada no alto de uma colina, próximo a Coligny, sua posição privilegiada oferecia uma vista bastante convidativa quando fazia bom tempo. Não naquele verão, porém. A névoa espessa impedia qualquer visão.

Trouxera consigo seu médico particular, John Polidori, mas este, para completar o clima desalentador, torcera o tornozelo e não podia caminhar.

Persuadidos por Claire, os Shelley tinham ido passar o verão decepcionante numa casa mais abaixo, separada da primeira por um vinhedo. Assim, os cinco faziam-se companhia e passavam os dias inteiros, e as noites até bem tarde, na Villa Diodati, onde procuravam se distrair com jogos, leituras em voz alta, cantorias e conversas, longas conversas nas quais Mary se abeberava, pois os homens trocavam ideias sobre todos os ramos do saber. Ao passo que Claire conseguiu o que quis: voltou a se tornar amante de Byron.

A vizinhança, escandalizada pelos ruídos e pelo vozerio promovido pelo grupo de ingleses, imaginava que a Villa Diodati estivesse sendo palco de grandes libertinagens. Corriam as mais escabrosas histórias sobre o grupo, inclusive, como já havia acontecido em outros lugares, que Shelley vivia maritalmente com as duas irmãs.

O trio voltava para casa de madrugada, e muitas vezes Claire era vista de manhãzinha ao sair da casa de Byron e entrar correndo na dos Shelley. Chegou até a perder um sapato no caminho, mas não voltou para buscá-lo por medo de ser surpreendida. Os vinhateiros, em reprovação, decidiram pregar uma peça nos ingleses sem princípios: entregaram o sapato na prefeitura, caso a proprietária quisesse recuperá-lo.

Quando havia uma estiagem, Byron e Shelley iam até a aldeia. Os dois se davam otimamente, eram intelectuais e se respeitavam mutuamente. Shelley era mais culto, no entanto Byron tinha brilho próprio. Numa dessas ocasiões, entraram na loja de livros, onde o proprietário os recepcionou, quase se desculpando pelo mau tempo.

— Vivi toda a minha vida aqui em Coligny e posso jurar nunca ter visto um verão como este! — exclamava o livreiro aos dois clientes ilustres que acabavam de entrar em sua loja. — Em que posso servi--los, senhores?

Enquanto a chuva recomeçava lá fora, os dois ingleses se distraíam lendo as lombadas e comentando as obras.

— O senhor tem algum livro sobre novidades científicas? — Shelley indagou, pressuroso. Ele sempre se interessara pelo assunto e acompanhava com atenção todos os progressos no campo da ciência natural. Lembrou-se, com uma pontada de remorso, das muitas horas que dialogara com William Godwin, pai de Mary, outro entusiasta no assunto.

O dono da loja interrompeu seus pensamentos:

— De novo, nada, senhor. A não ser um livro sobre as teorias de Luigi Galvani.

— ...que, todavia, não podem ser chamadas de novas... — atalhou Shelley. O galvanismo já tem mais de cem anos.

— O bolonhês maluco que fez reviver um sapo morto? — gracejou Byron.

— Não exatamente. Ele não fez reviver nada, mas suas experiências deixaram bem claro que a eletricidade é uma força que ativa os músculos. Foi um grande começo, ainda que ele tenha sido contestado por Alessandro Volta, que inventou a pilha elétrica.

— Realmente, houve troca de farpas entre os dois, li sobre o assunto. No entanto, ambas as contribuições foram importantes.

Byron remexia os livros até que pescou um e anunciou, triunfante:

— Veja isso, meu amigo. Um volume de *Fantasmagoriana, contos dos mortos*, numa edição francesa. Vamos levar para nos distrair, já que estamos presos em casa.

— Deixa ver — Shelley examinou o exemplar. — Hmmm. Já ouvi falar desses contos. São originalmente da Alemanha e em vários volumes.

— Este aí já dará para preencher o tempo até que o sol resolva voltar a brilhar.

Os dois retornaram para a Villa Diodati falando sobre literatura, ciência e os mais recentes progressos.

Após o jantar, quando todos estavam reunidos diante da lareira, Byron inaugurou a leitura do livro em voz alta:

...*Quando entrei, o espectro lentamente virou a cabeça em minha direção para que eu pudesse ver sua cara horrenda. O terror tornou-se extremo: eu não mais avancei; em vez, disso retirei-me para o quarto, onde fiquei rezando até o nascer do dia...*

As horas passavam sem que os convivas se dessem conta, mergulhados na história que o poeta lia com sua bela voz.

Lá pelas tantas, ele deu um grande bocejo, fechou o livro e comentou:

— *Os retratos de família*. Não deixa de ser um bom conto, mas já estou ficando cansado dessas narrativas alemãs. Por hoje, chega.

— Ah — protestou Claire, manhosa. — Você não vai terminar a história?

— Não — respondeu Byron. — Estou com sono e, pelo jeito que as coisas vão, este livro vai ter de durar o verão inteiro. Não são tantas histórias assim reunidas neste volume da *Fantasmagoriana*. Os demais — parece que são quatro ou cinco no original alemão —, não estavam à venda.

— Foi sorte você tê-lo encontrado na versão francesa — prosseguiu a moça, que falava bem francês.

— Sim, mas por hoje basta de fantasmas, mortos-vivos e cadáveres que voltam à vida. Tanta coisa sem fundamento...

— Quem sabe também existam algumas entidades nesta sala, ouvindo o que dizemos? — disse Shelley, disfarçando o medo com essa bravata.

— Sim, sim, animou-se Byron. Devemos estar cercados de fantasmas e mortos-vivos que só aguardam a hora propícia para se mostrar. Está chovendo forte, violentos raios cortam os céus, trovões rugem com ferocidade, a meia-noite se aproxima. Um cenário perfeito para que as almas penadas se levantem de seus túmulos e venham em busca de companhia

— Eu sei como conjurá-las — disse Shelley, cada vez mais agitado. — Fazia isso em criança e na juventude. Uma vez, no colégio, o professor me pegou e tive de confessar que eu estava chamando as forças do mal...

— Ai! — gritou Claire, tapando os ouvidos. — Parem com essa conversa tola. Vocês sabem que morro de medo.

— Não só você, minha querida, mas o nosso Shelley também. Lembram-se da reação que teve há algumas noites? — riu Byron.

Com efeito, havia uma brincadeira que levavam quase a sério: sentavam-se em torno da mesa; um copo era emborcado no centro de um círculo de pedaços de papel, cada um com uma letra do alfabeto. Os convivas faziam perguntas aos espíritos presentes, que "respondiam" por meio da movimentação do copo junto às letras. Num desses serões, Shelley de repente saiu correndo da sala. Foi encontrado trêmulo de pavor por Byron e Polidori, dizendo que ao olhar o seio de uma das mulheres na sala, poderia jurar ter visto o mamilo transformar-se num olho que o mirava fixamente.

Byron prosseguiu:

— A conversa se alongou bem além do que meu sono permitia. Mais algumas noites e teremos terminado as histórias.

— E depois? Com o que vamos nos entreter com esse clima horrível? — gemeu Claire.

Como que para enfatizar seus temores, naquele instante ecoou um sonoro trovão.

O anfitrião, já se erguendo da poltrona, respondeu:

— Ora, é fácil. Nós mesmos poderemos escrever contos de terror. Vamos ver quem faz a melhor história?

Todos se animaram.

— Contos de terror? Cada um de nós? Para quando? Quem começa? — bradavam, ao mesmo tempo.

Os dias que se seguiram foram de muita animação e trabalho febril. Como fora Byron quem lançara o repto, se sentiu na obrigação moral de estrear o certame. Pensou em algum tema, achou que já tivesse encontrado e anunciou no dia seguinte: uma história de morto-vivo que se alimentava de sangue. Shelley, poeta e culto, não era a pessoa mais indicada para escrever histórias do gênero, mas começou a esboçar alguma coisa baseada em sua infância. No dia seguinte, foi a vez de Polidori: uma mulher, que por olhar pelo buraco da fechadura, teve a cabeça transformada numa caveira. Claire logo se pôs fora da aposta. Com tantos bons escritores, que chance teria ela? Mary, quando lhe perguntavam, abanava a cabeça dizendo que não tinha lhe ocorrido qualquer ideia. Na verdade, queria imaginar não mais uma história de horror, como aquelas do *Fantasmagoriana*, mas uma que realmente expressasse o medo que vai na alma, o terror que todo ser humano carrega e que busca, por todos os meios, esconder ou explicar. Mary queria o inexplicável, um pesadelo do qual não se acordasse, o horror materializado, o macabro, o hediondo. Até que numa noite...

E-mail de junho de 2011

"Olá, todo mundo. Estou trabalhando feito burro de carga, mas o trabalho é fantástico. Parece que estamos em outra dimensão. Quase nada mais me surpreende: casas interativas, todas acionadas a distância, chuveiro, fogão, TV, jogos. Ninguém vai precisar fazer nada, a tecnologia dará conta de tudo. Até mesmo servir um copo de água na temperatura que você determinar, lavar os carros, cozinhar!!! Mas acho que o mundo ficará um lugar pior de se viver, muito frio, sem alma. Bom mesmo seria encontrar o elixir da vida eterna e as pessoas ficarem jovens para sempre e trabalhando (para sempre também como burro de carga) que nem eu, rsrs. O Larry, que deu de estudar a fundo a alquimia, diz que quanto mais a ciência progride, mais as teses alquímicas vão se comprovar. Já imaginaram viver para sempre, jovem, sem doenças? Bom demais, né? E aí entra a pesquisa que meu grupo está fazendo: injetar vida em tecido morto. Temos conseguido coisas incríveis, mas por enquanto não estou autorizada a contar nada. Ah, gente, estou tentando conseguir umas duas semanas para ir pra casa, talvez em setembro. Depois conto se vai dar certo. Tudo vai depender de um experimento que estamos fazendo. Nossa, que *e-mail* enorme. Bjks"

E-mail de junho de 2011

"Olá, todos,
Desculpem o silêncio, mas ando muito cansada e sem tempo. O Larry e eu terminamos, foi superchato. Motivo: o orientador do nosso grupo, um dos *tops* mais *tops* daqui, começou a se interessar por mim. Resultado: ataque de ciúme do Larry, acabamos tudo, fiquei

mal. Voltei para o meu apê, que por sorte ainda tinha um lugar. O *top top* abriu o jogo, estou confusa. Ele me atrai e me repele, não sei explicar. Alguma coisa que dá medo e, no entanto, é uma sensação diferente, estranha. Talvez por ele ser bem mais velho (vinte anos é muito?), ser tão considerado nos círculos internacionais, tão importante, tão estrelão, tão superior. Justo eu? O que ele foi ver em mim de especial, quando a maioria das mulheres do nosso laboratório daria cinquenta anos das próprias vidas por uma noite com ele? Ai, gente, não sei o que fazer, estou indecisa. Não disse nem sim nem não e agora fico com medo de ter perdido a oportunidade. Sei que ele está num projeto particular altamente confidencial e que, se der certo, vai revolucionar o mundo! Tudo no maior segredo, não faço ideia do que seja. Tentei perguntar, mas levei uma fria, uma experiência aterradora: não diz uma palavra, mas o rosto, o olhar... Não sei se é porque nasceu na Romênia e o pessoal o chama de vampiro — pelas costas, é claro. Duvido que alguém se atreva a chamá-lo assim, nas fuças. Antes eu achava o apelido hilário... Não se preocupem porque não tenho a menor intenção de entrar em roubada. bjsbjsbjs"

E-mail de junho de 2011

"Cé, você perguntou o nome dele. Gozado eu não ter escrito. É Viktor. Acho que me envolvi tanto na história do Frankenstein, que fui me amarrar num com o mesmo nome do cientista que criou o monstro. Você leu o livro conforme sugeri? Só que este daqui é Viktor com k. Esse nome na Romênia deve ser como Zé no Brasil. Ontem fomos jantar fora. Ele é muito fino, muito educado e culto. Tem um ar tristonho, me contou que enviuvou antes de vir pra Alemanha e depois não teve mais tempo para pensar em se casar de novo. Entendo bem isso:

o que se trabalha aqui faz esquecer todo o resto. Ainda mais um cara como ele, que escreve sei lá quantos artigos, dá conferências, aulas, faz pesquisa, orienta e coordena projetos. Não sei como encontrou tempo pra mim. Começo a olhar o Viktor com outros olhos. Descobri que ele é atraente, sem ser propriamente bonito. E tem magnetismo pessoal. Por isso as mulheres dão em cima. Entre nós ainda não rolou nada. Qualquer novidade, te conto. Bjks. LizSis"

Twitter @Celia – junho de 2011

"ROLOU MEGA!!! MY GOD!!! VAMPIRÃO NOTA 10 COM LOUVOR. NUNCA TIVE IGUAL. Detalhes no próximo *e-mail.*"

A história que o taberneiro contou

VI
Alemanha, Vila de Nieder-Beerbach - 1694
O grande experimento —
Buscando a vida no reino dos mortos

Max foi direto para casa. O desapontamento de ter sido dispensado enquanto o mestre estivesse fora o tornou irritadiço. É certo que não deveria ter invadido o laboratório no meio da madrugada sem ordens específicas. Mas, afinal, ele era ou não era o discípulo? Não deveria contar com a total confiança de Dippel? Para que tanto segredo?

Não conseguiu retribuir a alegria dos pais ao vê-lo; estava concentrado em remoer as justificativas para a sua ação impensada e o arrependimento por tê-la praticado. E se o mestre não o quisesse mais? Foram horas de tortura. Max andava pelos cantos, tristonho, sem vontade de comer, sem vontade de conversar.

Os pais se entreolhavam preocupados, até que Marianne não aguentou e rompeu o silêncio:

— O que houve, meu filho? Pareces nervoso, triste...

— Não houve nada, mãe — foi a resposta seca.

— Será que já estás sentindo falta do feiticeiro? — ironizou o pai. — Pelo menos finge que estás gostando de visitar tua família. Uma semana passa depressa, logo voltarás para as bruxarias.

— Pai, faz o favor de não se referir ao mestre Dippel dessa forma.

— Ora, perdão, perdão, cavalheiro. Esqueço que não és mais um de nós e que teu mestre é o maior sábio do mundo. Se bem que não é o que dizem dele aqui na aldeia.

— Heinz, por favor, deixa o menino — interveio a mulher.

— Acho que é meu dever abrir os olhos do nosso filho, Marianne. Pois bem, Max, fique sabendo que a Frida, mulher do nosso vizinho Peter, é prima da mulher do coveiro, e esta lhe contou que Dippel compra cadáveres para as suas experiências. Até já tentou subornar um auxiliar do coveiro para desenterrar corpos durante a noite, só que o rapaz ficou com medo, não sei se do desrespeito aos mortos ou da punição das autoridades caso fosse descoberto.

— Quanta tolice! — estourou Max. — Eu entro e saio daquele laboratório todos os dias e nunca vi cadáveres, a não ser de animais pequenos que ele usa para entender melhor o organismo e assim poder curar doenças. Ratos, sapos, cobras, galinhas...

— E achas que isso não tem a ver com o diabo? — rosnou Heinz, no mesmo tom exaltado.

— Claro que não! — devolveu Max. — Tem a ver com ciência, com medicina, com a busca de remédios que aliviem o sofrimento humano. Tem a ver com a busca do elixir que nos proporcionará, a todos, a vida eterna!

— Cala a boca, Max! Queres ser preso e condenado à fogueira? Buscar a vida eterna com restos de bichos mortos! Quem esse Dippel pensa que é? Deus? Isso é coisa de herege. Não voltarás a trabalhar com ele.

Nessa hora, o bebê acordou e se pôs a chorar, e as outras crianças também, assustadas com os berros.

— Viram o que fizeram? Acordaram os pequenos... — reclamou Marianne.

— Pai, eu...

— Chega! Minha decisão é definitiva. Proíbo-te de chegar perto do castelo Frankenstein, entendeste bem? Caso contrário, levarei essa história ao magistrado e ao prefeito. Tenho certeza de que eles tomarão providências sérias e Dippel vai se ver em maus lençóis. Agora, vá para a cama, não quero mais discutir o assunto. Vamos todos tentar dormir, quando as crianças se acalmarem.

A noite se recusava a passar e os pensamentos de Max se confundiam. Deitado na sua enxerga sentia falta de tudo: do conforto do castelo, da presença do mestre, da sensação de importância que o simples fato de trabalhar com o homem lhe transmitia. Aqui, não. Era apenas o filho de um campônio, que berrava com ele e para quem tinha de abaixar a cabeça. Os roncos do pai ressoavam pelo cômodo que compartilhavam, mas não eram eles que impediam o sono e sim as palavras que tinha ouvido: Dippel compra cadáveres, o coveiro contou; tem pacto com o diabo; é um herege; nunca mais se aproxime do castelo...

A lua cheia ia alta no céu quando Max decidiu fugir. Arrumou-se em silêncio, pegou uma muda de roupa e esgueirou-se para fora da choupana, com todo o cuidado para não acordar os pais e os irmãos.

O sangue corria tumultuado em suas veias e o ar lhe faltava quando se pôs a trilhar o caminho tão conhecido. Por sorte o plenilúnio iluminava a estrada, porque, na pressa, esquecera-se de pegar uma vela.

As cumeeiras do castelo já se recortavam contra o céu quando nova surpresa acelerou ainda mais os batimentos cardíacos do jovem aprendiz. Das velhas torres, em ruína havia muito, e por isso nunca visitadas, projetava-se uma luz bruxuleante, parecendo vir de inúmeras velas. Alguém tinha subido até lá! Mas havia o perigo de desabamento. Desde que se mudara para a casa dos Frankenstein, Max fora avisado de que o local era totalmente inseguro e que jamais deveria se aventurar por aquela ala. Apressou o passo, alcançou a entrada principal, deu a volta e entrou por uma porta lateral cuja chave possuía. Ainda bem que o mestre não lhe pedira para devolvê-la. Em vez de se dirigir ao seu quarto ou ao laboratório, em meio à escuridão, Max procurou as escadas de pedra que conduziam à ala abandonada do palácio. Os degraus, encravados na pedra, eram desiguais e em caracol, dificultando a escalada. Por mais de uma vez Max pisou em falso e quase rolou escada abaixo, conseguindo se equilibrar no último minuto.

Já estava quase no topo quando ouviu a voz. Sem dúvida, era seu mestre! Recitava uma ladainha cujo significado lhe escapava. Intrigado, foi se aproximando de manso. Dippel, diante de uma mesa profusamente iluminada por vários candelabros, estava de costas para a porta, e assim a presença do discípulo passou-lhe despercebida. O resto do aposento estava mergulhado na escuridão. Conforme o homem agitava os braços e repetia o que soava como uma invocação, Max se aproximou sorrateiro. No entanto, o choque foi mais forte e não conseguiu reprimir uma exclamação de horror ao ver, sobre a mesa, o corpo sem vida do velho Friedrich.

Dippel virou-se rapidamente e deu com o aprendiz, mais pálido do que o próprio morto, os olhos arregalados de terror.

– Max! O que fazes aqui? – vociferou o mestre. – Não mandei que ficasses na tua casa até que eu te chamasse? Mandrião! Retira-te imediatamente.

O rapaz saiu do torpor e conseguiu balbuciar algumas palavras sem sentido, quando tudo começou a girar à sua volta: a câmara mortuária, Dippel, o cadáver de Friedrich, o tremeluzir das velas, até que a escuridão se fez total, macabra, ameaçadora.

Um cheiro estranho, que cismava em penetrar-lhe pelas narinas, fez com que voltasse a si aos poucos e desse com Dippel esfregando-lhe as têmporas e o nariz com um pano embebido em alguma substância estranha.

– Não! – agitou-se Max, tentando impedir o homem de continuar a lhe aplicar aquela coisa, que certamente o levaria a fazer companhia ao velho Friedrich.

Dippel afrouxou a pressão. Estendendo-lhe uma caneca, ordenou:

— Vamos, toma isso, menino curioso.

Max esboçou um movimento de recusa, mas Dippel foi mais hábil. Segurando-lhe o queixo com força, fez com que abrisse a boca e imediatamente entornou o líquido, que a princípio queimava e já no minuto seguinte espalhava um calor agradável.

— É conhaque, seu cabeça de vento. Logo vais te sentir bem. Garoto maluco! Poderias ter morrido se eu não estivesse na sala. Melhoraste um pouco?

Max acenou afirmativamente. Apontando a mesa, deixou escapar um gemido e olhou o mestre acusadoramente.

— Não, não o matei, se é o que estás pensando. Já ia a meio caminho da viagem quando me dei conta de que tinha esquecido algumas peças imprescindíveis ao objeto dos estudos. Então, tive de voltar. Ao subir para o laboratório, deparei-me com o pobre ancião caído no corredor, a porta do quarto completamente escancarada. Primeiro, cheguei a pensar que algum gatuno tivesse entrado. Dei uma busca, mas não havia nada fora do lugar. A única possibilidade que me ocorre é que o velho tenha se sentido mal e procurado alcançar as escadas em busca de socorro. Só que o coração não aguentou. Tentei reanimá-lo com massagens e algumas poções, tudo em vão. Ele já estava morto.

— E o que ele está fazendo deitado em cima da mesa, nessa ala aonde ninguém vem? — perguntou Max, com desconfiança.

— Carreguei-o aqui para a torre com o intento de fazer uma experiência para trazer o nosso Friedrich de volta do mundo dos mortos.

Max recuou, assustado.

— Mas isso é blasfêmia, senhor.

— Deixa de ignorância, rapaz. És ou não és um cientista? Diante da ciência nada nos deve deter. Pensando bem, tua chegada foi providencial. Pela temperatura do corpo, o óbito deve ter ocorrido há poucas horas. Ainda há possibilidade. Corre até o laboratório e traz, com o maior cuidado, a retorta que está coberta com um pano de seda negra. Vamos torcer para que já esteja em condições de fazer a transmutação.

Diante do ar inquiridor do moço, Dippel tentou explicar:

— Vamos trocar a alma do homúnculo que está sendo fertilizado com a de Friedrich. Assim, devolveremos a ele o sopro da vida.

E-mail de julho de 2011

"Pessoas queridas,

O meu professor de Bioética aí no Brasil ficaria de cabelo em pé se visse as experiências que fazem aqui no Centro. Não há barreiras religiosas, nem científicas, nem éticas. Se descobrirem como se faz um ET com cinco cabeças de elefante num tubo de ensaio, tanto melhor. Só que, é claro, para pôr em execução o experimento e trazer a público vai uma distância imensa, a começar pelo Tribunal Internacional de Ética, que pode punir até com cassação de diploma e expulsão o engraçadinho da Sociedade Científica. Com esse negócio de troca de namorado perdi um pouco o foco do meu *startup*. Preciso voltar a pensar nisso, se é que eu quero fazer alguma coisa que preste e talvez começar meu próprio negócio. O que cada vez mais me fascina são as mutações genéticas, especialmente as dermatológicas. Ah, uma coisa que não contei: no ano passado eu e minhas colegas doamos óvulos para o Projeto Genoma. Anestesia local, não dói nada e poderemos contribuir para que a humanidade se veja livre de muitas doenças. Há também um banco de sêmen de voluntários. Na doação, autorizamos o uso para finalidade estritamente científica, voltada ao estudo da cadeia genética e suas alterações. Os resultados são mapeados e, num processo complicadíssimo, modificam ou anulam os genes doentes. Cada vez mais poderão detectar problemas antes da concepção. Com isso, um dia desenvolverão o super-homem, o Frankenstein pós-moderno, dotado de vida, alma, beleza e perfeição. Não dá nem para imaginar onde estaremos em relativamente poucos anos, em matéria de progresso. Não duvido nada se conseguirem vencer a morte. Mas isso ainda levará séculos.

Contem de vocês. Quero saber o que todos andam fazendo. Saudades e beijos. Liz"

E-mail de julho de 2011

"Cê, só para você. Sabe que estou ficando de saco cheio do Viktor? Ele mudou muito, tá um porre! Acabaram-se as noites (e dias) incríveis. Eu era doida por ele, não imaginava passar um dia sem vê-lo. Cadê aquele homem que me deixou completamente apaixonada? Anda frio, arredio, estranho, só fala na maldita alquimia. Ele acha que é possível, com os recursos modernos, ressuscitar um morto. Se continuar desse jeito, tô fora, por mais que doa. Eu daria a minha vida pelo Viktor do início. Esse de hoje parece que endoidou, sei que acontece com gente que é extremamente inteligente. Deu de viver trancado no laboratório, não deixa ninguém entrar, diz que está formatando uma teoria que vai revolucionar a comunidade científica. Isso tudo fica entre nós, tá? Não quero preocupar os velhos. Bjs.

P.S. deixa de ser boba — os óvulos doados de que falei e que te preocupam são guardados a sete chaves, usados somente para fins experimentais e depois, descartados. *No danger at all.*"

Um verão sem sol

A revelação

Genebra, vila de Coligny — 1816

Mary, Claire e Shelley voltaram altas horas da Villa Diodati, debaixo de chuva torrencial. Atravessaram o vinhedo que separava as duas casas, até que finalmente chegaram molhados e enlameados.

Mary foi até o quarto, onde o filhinho do casal, William, dormia placidamente, muito bem cuidado por uma babá suíça, também ela mãe solteira, tal qual Mary, que até então não tinha se casado com Shelley. Após certificar-se de que a criança estava bem, voltou à sala, onde os demais a aguardavam em torno da lareira.

O assunto, como não poderia deixar de ser, foi a competição de contos de terror.

— Achei bem fraca, para não dizer risível, a ideia do pobre Polidori — falou Shelley. — Pessoalmente, ando querendo desistir. Histórias de terror não me servem de inspiração.

— Concordo — atalhou Claire. — Melhor não escrever nada do que inventar asneiras. E você, Mary, vai desistir também?

Mary hesitou antes de anunciar:

— Eu tenho uma ideia... Na verdade, quase um sonho, uma alucinação.

Shelley e Claire imediatamente mostraram-se interessados:

— Conte-nos, vamos — Claire pediu, impaciente.

— Não sei se devo — disse Mary, reticente. — Não sei se quero me lembrar dela, quanto mais escrevê-la.

Seu ar assustado indicava que o assunto lhe era penoso.

— Será tão tenebroso assim? Então você vai ganhar o concurso — Claire exclamou.

Shelley, ele mesmo muito sensível, preocupou-se com a hesitação da esposa, normalmente tão franca.

— Vamos, querida. O que pode ser tão terrível numa história que você mesma vai inventar?

— O problema é justamente este: não se trata de invenção.

Instada pelos demais, começou a falar, a voz pouco mais que um sussurro.

— Vocês se lembram daquela viagem pelo Reno, há quase dois anos?

— Sim, claro...

— E paramos na vila de Nieder-Beerbach, em Darmstadt, quando o taberneiro nos contou sobre o alquimista Konrad Dippel e seu pupilo?

— Por certo...

— Lembram-se de que eu e Shelley subimos até as ruínas do castelo dos Frankenstein e Claire ficou na taverna porque estava com medo?

— Sim, sim, continue...

— Pois bem. Eu estava no início da gravidez de nossa pequena Clara. A subida foi tranquila, cheia de flores e de verde, mas conforme nos aproximamos do castelo o tempo como que se fechou, transformando a paisagem lírica num ambiente hostil.

Mary fez uma pequena pausa:

— Shelley e eu nos pusemos a percorrer as ruínas até que descobri o que deveria ter sido um cômodo. Em seu interior havia alguns objetos, intocados como por milagre e que levavam a crer terem pertencido ao alquimista. Peguei um deles a esmo, um jarro de vidro, e quando o levantei contra a pouca luz que entrava de fora, vi, oh, horror...— e Mary escondeu o rosto nas mãos.

— O que você viu, querida? — Shelley se preocupou com o alvoroço da mulher.

— Vi uma coisa horrenda, como se fosse um feto quase completo, um homenzinho, mas diferente de tudo quanto eu poderia imaginar: um homenzinho feito de partes claramente distintas e costuradas entre si. Naquele momento, desmaiei. Ao recobrar a consciência, atribuí a visão ao meu estado — as grávidas são muito mais suscetíveis a visões e pesadelos —, mas ao tentar pôr em palavras o que acontecera, eu simplesmente não podia, não conseguia. Esse incidente não me saiu da cabeça por meses e meses, até que acabei dando à luz antes do tempo. A nossa Clara durou só duas semanas. Eu cuidei dela com tanto desvelo, a amamentei e tentei protegê-la, mas mesmo assim ela não resistiu. Tenho certeza de que teve a ver com aquele homúnculo horrendo.

— Que tolice, querida — Shelley abraçou-a com carinho. — Vamos, olhe para mim. Sem dúvida, você ficou impressionada com tanta história que o taberneiro contou sobre o castelo. Você não vinha passando bem naquele início de gravidez, lembra-se dos enjoos matinais? Eu nunca deveria ter subido até o castelo com você. O esforço deve ter intensificado o mal-estar. Foi um desmaio, apenas um desmaio. O resto foi fruto da sua imaginação.

— Não, querido, tenho certeza do que vi. Eu estava bem acordada e vi aquilo... aquela coisa... O choque foi tamanho, que desmaiei.

— Minha pobre irmã — disse Claire, sempre pronta a acreditar em mistérios e no sobrenatural. — Então foi isso que adiantou o nascimento de Clara?

— Ora, Claire, fique quieta. Você só faz piorar as coisas — disse Shelley com rispidez. — Pense comigo, Mary: nunca, até hoje e apesar de todos os progressos feitos pela ciência, alguém logrou fazer um homúnculo. É esse o nome do tal ser criado fora do útero materno, que os alquimistas tanto procuraram, mas nenhum logrou êxito. Lembro bem que o taberneiro contou que o tal Konrad Dippel, que viveu no castelo dos Frankenstein, também tentou fazer um, mas jamais disse que ele conseguiu... A lembrança deve ter ficado gravada na sua mente.

— Mas eu vi, eu vi — gritou Mary, agoniada.— Isso custou a vida de nossa filha.

Fez-se silêncio na sala. Até que Shelley falou:

— Agora temos o nosso William, forte como um touro. Se você puser a ideia do ser estranho no papel, talvez se livre dos monstros que a aterrorizam até hoje.

— Não sei se posso; talvez um dia tente. De qualquer forma, quero de vocês uma promessa: nunca, nunca mesmo o que contei deverá sair da boca de qualquer um de nós três, combinado?

Os dois juraram solenemente. Conversaram mais algum tempo e Mary foi se sentindo mais calma. Já na cama, recebeu um beijo de boa-noite do marido:

— Não se preocupe mais, meu amor. Essa é uma coisa que estava trancada dentro de você e que já passou. Agora que dividiu seu segredo comigo e com Claire, está livre. O medo encarcerado é a pior fonte de angústia. Deixe que ele saia e a luz do dia afastará todo o mistério que possa ter anuviado sua alma.

Shelley pegou num sono profundo, enquanto Mary olhava com medo a escuridão. Tinha certeza de que vira aquela coisa monstruosa, toda costurada, um feto humano e ao mesmo tempo sem a aparência de sê-lo. Como será que teria ficado se vingasse? Um homem feito de pedaços, órgãos, restos de pele e de músculos dos outros? Deu de ombros: o marido estava certo, como sempre. Agora que tinha deixado vir tudo à tona, sentia-se mais leve, menos temerosa. E seu filhinho estava forte e saudável, no quarto ao lado. Aos poucos o sono se aproximava. Ela quase dormia quando, mesmo de olhos fechados, reviu as cenas da história com uma clareza aterradora.

E-mail de agosto de 2011

"Família,

Vocês nem podem imaginar a novidade: abriu uma vaga de supervisora de pesquisa de material transgênico e ME CONVIDARAM PARA OCUPAR O CARGO!!! Essa promoção me pegou de surpresa, tem gente mais antiga que poderia ter sido convidada. Claro que alguns invejosos estão dizendo que consegui a promoção por influência do Viktor, mas sei que foi pelo meu próprio valor. Continuo a cdf de sempre. Terei mais trabalho, mais responsabilidade e aumento salarial. A minha carreira está deslanchando muito rápido e confesso que estou caindo de orgulho!

Falando em Viktor, imaginem o que descobri. O Larry e outros tantos são alunos dele num curso de alquimia, mantido em sigilo! Foi por acaso que ouvi uma conversa nesse sentido. Eles se reúnem todas as semanas em algum lugar que ainda não sei onde fica, mas que vou descobrir logo, logo, rsrs. Suponho que seja um laboratório onde façam experimentos alquímicos — tomara que seja à procura da juventude eterna. Assim que tiverem alcançado a poção, quero ser a primeira a experimentar. Já imaginaram ficar para sempre com a minha cara e o meu corpinho de vinte e oito anos, sem doenças, sem rugas nem celulite? E se conseguirem também transformar metais em ouro, logo seremos milionários e voltarei para casa num jatinho particular. Por sinal, o plano de ir em setembro para o Brasil ainda está sendo estudado. Atendendo aos pedidos insistentes, amanhã às 20h daqui, portanto descontem o fuso, entrarei no Skype. Quero ver a vó já sentadinha, se recuperando bem, conforme vocês contaram. Será que ela me reconhece na tela? Bjs."

A história que o taberneiro contou

VII

Alemanha, Vola de Nieder-Beerbach - 1694
O castigo de prometeu

Como Max se mantivesse petrificado, Dippel exortou-o a se apressar:

— Vamos, vamos, corre, antes que a essência de Friedrich parta para a morte eterna.

O rapaz não tinha mais controle sobre a própria vontade. Ouviu a voz de comando e obedeceu. Desceu os degraus aos tropeços e logo estava de volta, trazendo a retorta nas mãos trêmulas. Dippel apossou-se dela quase com violência. Colocou-a em cima da mesa, ao lado do cadáver, e arrancou o pano preto, revelando o conteúdo.

— Vê, Max. Eu mesmo fecundei este ovo com sêmen e tampei o orifício com sangue menstrual. Olha, bem no centro, o homúnculo inteiramente formado.

Dippel segurava a retorta contra a luz das velas e obrigava o rapaz a olhar. Por mais que tentasse, o aprendiz não conseguia vislumbrar nada de especial dentro do artefato, a não ser uma substância informe. No entanto, preferiu ficar calado. O olhar do mestre tinha qualquer coisa de insano, um brilho que o deixava apavorado. Dippel parecia enlouquecido.

— Agora vai até aquela estante e traz-me um pote com pó de enxofre. Há outro recipiente com cera de abelha... isso, esse mesmo. Alcança o tubo à sua direita... esse aí, com mercúrio. Vamos, põe tudo aqui na mesa. Avia-te, que o tempo está voando. Pega um pouco de salitre e também de carvão... Não... menos, não é preciso tanto. Muito bem. Só falta um recipiente maior. Traz-me aquele caldeirão que está na prateleira de baixo. Isso. Agora, prepara-te, Max, para a maior experiência de nossas vidas. Vamos misturar todos os ingredientes, colocar o homúnculo no centro da massa, aquecer a mistura com o fogo dessas velas e, à medida que se derrete, mergulharemos nele o corpo sem vida de Friedrich. Aos poucos, ele voltará!

Max estava apavorado. A voz do mestre soava rouca, o rosto se retorcia em esgares. Iluminado pela luz das velas, tinha um ar demoníaco.

As mãos, ao contrário, moviam-se calmas, precisas, vertendo, um a um, cada material dentro do recipiente maior, mexendo cuidadosamente com uma grande pá.

— Observa como a mistura vai se tornando homogênea. Logo que a alma do homúnculo penetrar a massa, será o momento de submergir o cadáver de Friedrich. Em pouco tempo ele deverá abrir os olhos, a boca, mexer braços e pernas.

Max pensou em fugir de lá, mas faltava-lhe coragem. Não queria demonstrar ao mestre todo o seu pavor. Ao mesmo tempo, acabara de decidir que ser cientista não era o que desejava da vida. Logo que tivesse terminado o pesadelo que estava vivendo, iria embora para sempre, correria mundo, trabalharia duro, algum trabalho honesto na terra ou no mar, no qual usasse seus braços e sua força física. Nada mais de olhar estrelas ou querer saber de coisas que não lhe competiam. Se Deus quisesse que o homem entendesse as tais leis cósmicas, já o teria criado sabedor de tudo. A voz de Dippel interrompeu seus pensamentos.

— Esta fórmula vem dos alquimistas chineses do século VIII. Já imaginou, rapaz? Nove séculos atrás, do outro lado do mundo, havia homens com as mesmas preocupações que as nossas?! Com o enxofre, a cera, o salitre, fizeram o que foi denominado o "remédio do fogo". Nos tempos que se seguiram, outros cientistas foram adicionando novos materiais: o carvão, o mercúrio. Mas nenhum deles teve a ideia de juntar o remédio do fogo com o homúnculo. Isso se deve exclusivamente a mim, é a minha grande invenção. Pelos cálculos matemáticos que efetuei vezes e mais vezes, temos grandes possibilidades de conseguir a transmigração das almas de um modo totalmente científico. Poderemos comprovar cada etapa! Teu nome, Max, se juntará ao meu nessa experiência. Ficaremos famosos para todo o sempre!

Max mal conseguia respirar de tanta emoção. O mestre conseguira transmitir-lhe a grandiosidade do momento.

— Rápido, começa a preparar o corpo de Friedrich. Lava-o com água salgada e seca com esta peça de linho branco. Vamos, menino, para de tremer e lava o cadáver. A massa já está pronta, absorveu totalmente o homúnculo. Agora só falta aquecer a poção. Passa-me os dois candelabros maiores. Vou pronunciar as palavras invocatórias, enquanto mergulhamos, primeiramente, a cabeça daquele que foi Friedrich. Depois, aos poucos, o resto do corpo. Ao primeiro movimento, quero ser avisado. Será o momento supremo em que teremos vencido a morte!

*****

Era quase dia quando um clarão, seguido de vários estrondos, assustou os aldeões. Todos correram para fora de suas casas a tempo de ver o fogo tomando conta das velhas torres do castelo. O clamor era grande entre os moradores, que, no entanto, nada podiam fazer para aplacar a ira do fogo.

Marianne e Heinz tiveram o mesmo mau pressentimento. Max não estava na cama nem em lugar algum próximo da choupana.

— Max! Onde está você?

Puseram-se a correr freneticamente entre o povo, que olhava os últimos estrondos e as torres que se contorciam sob o fogo numa dança macabra. Chamavam pelo filho:

— Max, Max? Onde você se meteu? Valha-nos Deus, alguém viu nosso filho? Onde está o nosso Max?

Ao não obterem resposta, uma certeza terrível começou a sangrar seus corações. Max estava no meio das chamas. Era, sem dúvida, a punição divina que se abatia sobre eles por permitir que o filho se envolvesse com forças demoníacas. Abraçados, choravam sua dor, que jamais teria trégua ou remédio.

05/12/2004
Frankenstein Castle em Hesse, Alemanha.

Crédito | Rex Features/Keystone Brasil

Johann Dippel (1673-1734), alemão
alquimista, médico e teólogo.

Crédito | National Library of Medicine, Bethesda

Gravura de William Purser. Villa Diodati, perto de Genebra, onde Lord Byron, Mary Shelley, Percy Shelley e John Polidori se hospedaram em 1816 criando os personagens literários do Vampiro e Frankenstein.

Crédito | Bibliothèque Des Arts Decoratifs, Paris. Foto: DeAgostini/Getty Images

Richard Westall. Portrait of George Gordon Byron. 1813.
Óleo sobre tela. 76,2 x 63,5 cm.

Crédito | National Portrait Gallery, Londres

Theodore Von Holst. Ilustração para frontispício da edição
revisada de Frankenstein de Mary Shelley, publicado pela Colburn
e Bentley, Londres. 1831. Gravura em metal. 99,3 x 7,1 cm.

Crédito | Coleção particular

Richard Rothwell. Mary Shelley. c. 1840.
Óleo sobre tela. 73,7 x 61 cm.

Crédito | National Portrait Gallery, Londres

John Opie. Mary Wollstonecraft. c. 1797.
Óleo sobre tela. 76,8 x 64 cm.

Crédito | National Portrait Gallery, Londres

William Powell Frith. The Lover's Seat: Shelley and Mary Godwin in Old St. Pancras Churchyard. 1877. Óleo sobre tela, 60,3 x 49,5 cm.

Crédito | Coleção particular. Foto | The Bridgeman Art Library/Keystone Brasil

Henry William Pickersgil. William Godwin. 1830.
Óleo sobre tela. 69,9 x 63,2 cm.

Crédito | National Portrait Gallery, Londres

Alfred Clint. Percy Bysshe Shelley. 1819.
Óleo sobre tela. 59,7 x 49,5 cm.

Crédito | National Portrait Gallery, Londres

E-mail de setembro de 2011

"Queridos,

No fim das contas, não consegui afastamento do projeto para poder viajar. O outono chegou. As folhas começam a mudar de tonalidade, as cores são lindas, mais agudas, e os contornos das coisas parecem mais precisos. Os dias são ensolarados, mas quando chega a tardinha vem o frio e o vento. Começa a me dar tristeza. Meu mal é saudade. Vamos ver se consigo ir pra casa no Natal. Amo muito vocês todos."

E-mail de setembro de 2011

"Cé, só pra você de novo. Desculpa te encher com meus problemas, mas não tenho ninguém a quem recorrer. Mais uma vez o Viktor. Faz um tempinho que a relação tinha voltado a esquentar, eu estava superfeliz. Sabe o que ele me pediu? Um pouco do meu sangue menstrual!!! No começo achei que fosse para testar os genes dos nossos futuros filhos. Só que descobri que ele está tentando fazer um homúnculo!!! Sabe o que é isso? Uma besteira do século XV, dos alquimistas: faziam um buraco num ovo, punham esperma e sangue menstrual e deixavam chocando. kkkkk Não consigo parar de rir, é tão absurdo, mórbido, ridículo, tudo ao mesmo tempo, que só gargalhando. Ele diz que vai funcionar porque está fazendo a fertilização *in vitro* e não diretamente no ovo. Sabe o quê? O Viktor pirou e vou me mandar antes que vire mãe de um homúnculo. Bjs. e lágrimas."

E-mail de setembro de 2011

"Todos,

Queridos, resolvi que vou voltar para o Brasil. Chega de bolsa, chega de pesquisa, chega de *startup*. Vou voltar para casa, para a minha família, para a minha terra. Não aguento mais de saudades. Arrumem meu quarto, que logo estou chegando. Bjs."

Um verão sem sol

Revelando a gênese de FRANKENSTEIN

Genebra, Villa Diodati —1816

No dia seguinte, a chuva tinha cessado, ainda que o céu continuasse cinza.

Shelley, Mary e Claire, logo após tomarem o café da manhã, aproveitaram a estiagem para ir até a Villa Diodati.

— Entrem, entrem todos — convidou Byron entusiasmado, enquanto tomava vinho em sua caneca favorita, feita de crânio humano. — Parece que a chuva resolveu dar uma trégua. Vocês ouviram os trovões no meio da noite?

— Eu quase não dormi de tanto medo — disse Claire, exaltada pelos acontecimentos da noite anterior, sobre os quais jurara guardar segredo.

Havia mais de duas semanas que tinha a certeza de estar esperando um filho de Byron. Agora era ela, assustada com a história de Mary, a sensibilidade aguçada pela gravidez, que estava com medo de perder a criança. Isso não podia acontecer! A criança era a sua esperança de ligar-se para sempre ao poeta.

A conversa continuou como todos os dias: chuva, filosofia, Deus, ciência natural, as experiências que vinham sendo feitas para dar vida à matéria morta, a alquimia, o progresso dos participantes na feitura de uma história de terror.

De súbito, Mary, que parecia alheia à conversação, anunciou:

— Eu tive uma ideia para o conto de terror. Na verdade, sonhei com ela. É sobre um jovem cientista que quer criar a vida, um novo Prometeu. O resultado de suas experiências é uma coisa horrenda, feita de pedaços de cadáveres, a que não se pode chamar de humano. E foi punido pela tentativa de usurpar um poder que cabe somente ao Criador: passou a ser perseguido pela sua criatura, que acaba por destruir a todos que ama e a ele próprio.

— Interessante — disse Byron. — Parece bem interessante. Pode resultar num conto maravilhoso, Mary.

— Como vai se chamar? — perguntou Polidori, enciumado pelo aplauso do poeta, que ainda na véspera ironizara e destruíra a ideia, que ele, Polidori, apresentara.

— Não pensei no título, mas o jovem se chamará Frankenstein. O que acham?

— Onde você foi buscar esse nome? — insistiu Polidori.

— Sonhei. Já disse que sonhei. Com a história e com o nome do cientista. Tão claramente quanto estou aqui contando a vocês.

— Bravos, Mary, a literatura é isso. Já está em nossa mente antes mesmo de nos darmos conta. É um sonho. É uma mentira cheia de verdade. Agora deixe que a história se materialize, ganhe forma e força no papel. Tenho palpite de que sairá alguma coisa de bom, de muito bom!

Twitter @Celia – outubro de 2011

"SOCORRO!!!"

A última peça do tabuleiro

Quinta peça – o dr. Polidori

"Os tutores se apressaram em proteger Miss Aubrey; mas quando chegaram, era tarde demais. Lord Ruthven desaparecera, e a irmã de Aubrey saciara a sede de um VAMPIRO!"

John Polidori, O Vampiro

Londres, outono de 1818 – A carta de Genebra

Henry Colburn, proprietário do *New Monthly Magazine*, chegou à redação, naquela manhã, enredado em pensamentos obscuros. Fazia pouco tinha comprado o jornal, mas com o surgimento de um concorrente escocês, o *Blackwood's Magazine*, as vendas vinham despencando vertiginosamente. O perfil editorial da revista escocesa era semelhante ao da sua. No entanto, vinha fazendo mais sucesso graças às histórias que a rival publicava, de maior apelo popular: contos claustrofóbicos, narrativas tiradas das lendas escocesas e acrescidas de outras que versavam sobre fome, ruína, assassinatos, amputações, loucura, doenças e outros horrores.

Colburn estava realmente desanimado. Começou a abrir a correspondência que seu assistente colocara sobre a mesa. Um envelope mais grosso chamou-lhe a atenção. Vinha de Genebra, sem indicação de remetente. Curioso, pôs as demais cartas de lado para ver o que continha o pacote. Depois de alguns minutos, não conteve um grito de alegria:

— Que maravilha! É um milagre! Um demônio que suga o sangue! É exatamente disso que eu precisava.

O conteúdo era uma carta que contava alguns mexericos escabrosos, ótimos para publicação, falando sobre os poetas Percy Shelley, Lord Byron e seus companheiros, na temporada que passaram no verão de 1816, às margens do lago Leman. Mais surpreendente ainda eram os originais de um conto longo, inédito e não assinado, chamado *O Vampiro* que, ao que tudo indicava, era de autoria do próprio Byron, considerado à época, um dos mais famosos escritores vivos do mundo.

Colburn não cabia em si.

— Obrigado, meu Deus, muito obrigado! — e levantava as mãos para o céu, enquanto cantava e dançava de alegria incontida.

O subeditor Alaric Watts entrou na sala do chefe, a fim de ver a causa de tamanho alvoroço:

— O que aconteceu?

— Uma coisa estupenda, sensacional, fantástica. E veio diretamente de Genebra, sem remetente. O que tem aí dentro vai salvar meu jornal! Vou precisar de você, de toda a equipe. Vamos começar a trabalhar imediatamente.

Alaric não estava entendendo nada até conseguir extrair alguma coerência de toda aquela história.

— Você fará um texto introdutório — prosseguiu o editor —, explicando ao público do que trata toda essa lenda de vampiros, coisas do folclore do leste europeu, que pouca gente conhece. Quero em letras bem grandes que a autoria é de Lord Byron. Vamos, Alaric, dê prioridade absoluta para esse artigo. Vamos publicar na próxima edição com o maior destaque.

Watts, no entanto, era um homem conscencioso. Leu e releu os originais do conto. Não se convenceu de que era, com cem por cento de certeza, da lavra de Lord Byron. Poderia, quando muito, ter sido feito baseado em algum texto do grande poeta. Daí a afirmar categoricamente de que era dele, ia uma distância.

Colburn não cultivava os mesmos escrúpulos. Mudou o texto do editor-assistente e na edição de abril de 1819, publicou em letras garrafais: O VAMPIRO – UM CONTO DE LORD BYRON.

Essa mudança teve duas consequências: a primeira, Alaric Watts pediu demissão, uma vez que seu prestígio como editor sério fora posto em xeque; a segunda, o jornal *New Monthly Magazine* teve uma vendagem arrasadora. O público vibrou! Até então, a figura do vampiro era a de um cadáver malcheiroso, esfarrapado, decomposto, horrível, ao passo que o que agora se apresentava era um aristocrata romântico, glamouroso, frequentador dos altos círculos da nobreza, dono de uma personalidade cativante e dominadora.

Quanto à autoria, mostrou-se correta a suposição de Watts. Pouco tempo após a publicação, o próprio Byron esclareceu que não era ele o autor e sim o dr. Polidori.

John William Polidori, jovem e bem-apessoado médico que se formara muito cedo e passara a acompanhar Byron como seu médico pessoal, e também faz-tudo, a quem o poeta não poupava e espezinhava à vontade, esteve com o grupo que se reuniu no verão de 1816, na Villa Diodati.

O "pobre Polidori", como se referiam os demais pelas suas costas, ou também "Polly Dolly", apelido dado por Byron, que assim o chamava diante de quem quer que fosse, recebera dinheiro de um editor com o encargo de escrever um diário de viagem dando conta das andanças do poeta, então exilado da Inglaterra em razão de conduta imoral.

Para escrever o conto, partiu de uma narrativa inconclusa de Byron, criando um vampiro em tudo parecido com o "patrão": charmoso, dominador, sem caráter, maligno.

Foi pelas mãos do pobre e inexpressivo Polidori que, sem trocadilho, o vampiro galante ganhou vida eterna.

E-mail de outubro de 2011

"Cé, desculpa o *twitter* que acabei de te passar pedindo socorro. Mas é que entre tantos homens interessantes, inteligentes, bacanas, fui escolher o pior. Meu, o cara tá completamente doido. Sabe quem ele diz que é? Viktor Frankenstein. Ele jura que vai revolucionar a ciência. Tenho medo da reação dele quando descobrir que vou voltar para o Brasil. Estou apavorada, mas, se eu fiz a burrice, agora tenho de dar um jeito de sair dela. Confidencialíssimo o que estou te contando, tá? Cismou que estamos juntos porque eu sou a reencarnação da noiva de Frankenstein, só porque também me chamo Elizabeth, como no livro. Mas a história é ficção, nunca existiu nem Frankenstein, nem Elizabeth — é invenção da Mary Shelley, será que ele não entende? Coincidência. Acontece a toda hora. Acaso também, até mesmo tropeçar num cientista maluco e achar que ele é o homem da sua vida. Ou era. Quer ver mais? Ele acha que encontrou a fórmula do elixir da vida eterna e quer testar em mim. Meu Deus do céu, e a besta aqui achando que ia se casar com o gênio misterioso e cobiçado, ter vários filhinhos e ainda desenvolver um *startup*, um processo que realmente tivesse efeito no rejuvenescimento da pele. Só que o fofo virou um panaca maníaco que acha que é Frankenstein. E ainda por cima mistura canais: as ruínas do castelo da família Frankenstein, que existiu no século XIII (vimos juntas, lembra?), Konrad Dippel, o alquimista do século XVII, e Victor Frankenstein, inventado por Mary Shelley, em 1816, no século XIX. Ou seja: 2+2 = 22. Bingo! Ai, Cé. Se a gente pudesse saber antes! Tanta coisa que se inventa por aqui... por que não um aparelho que meça a compatibilidade de digitais, por exemplo? Ou então uma máquina que projete a vida da gente nos próximos anos? Anos? O que estou falando? No próximo mês, no próximo dia! Às vezes é o quanto dura a felicidade. Beijos de sua irmã cretina. Liz"

E-mail de novembro de 2011

"Cé, alguma coisa de terrível está acontecendo. Não sei direito o quê, mas diz respeito à minha vida. O Viktor disse que ambos ficaremos famosos para sempre se o maldito experimento dele der certo e depois se trancou na toca, incomunicável há três dias. Vou entrar no laboratório daquele filho da puta nem que tenha de botar a porta abaixo. Mando notícias logo. Me deseja boa sorte, sinto que vou precisar. bjs, Liz"

Novembro de 2011

Twitter @Celia

"O que foi que eu fiz? O que foi que eu fiz? Vou ser presa! Levaram a minha filha. Vou ser presa!"

Alemanha — dezembro de 2011

Carta enviada de uma delegacia de polícia

"Querida família,
Finalmente posso escrever com um pouco mais de calma e contar detalhadamente o que já falei ao telefone. Desde anteontem estou presa nesta delegacia, sozinha na cela, aguardando transferência para o presídio feminino.

Estou sendo bem tratada, não posso me queixar de nada, a não ser que fico sem notícias do mundo exterior e sem possibilidade de agir. Só permitem que eu leia e escreva, e espero que esta carta chegue até vocês, porque imagino que a correspondência seja censurada.

Sei que vou responder perante o Tribunal Superior de Ética, por grave infração às normas. Se for condenada, meu diploma será cassado. Responderei também perante a justiça penal e civil por danos ao patrimônio público, a material científico e por infligir maus-tratos e causar a morte de pelo menos seis animais para fins antiéticos. Vou para a prisão, quanto a isso não há dúvida. Talvez depois de alguns anos, consiga ser extraditada para o Brasil. Sem falar na ação de indenização que a universidade poderá mover para que eu seja obrigada a ressarcir os prejuízos causados. Como não possuo bens, não sei como será resolvido o caso.

Hoje veio me visitar a advogada que o estado indicou para defender meu caso. É uma moça simpática, que me olha cheia de pena. Já me disse que meu horizonte não é dos mais promissores. Evito perguntas sobre as consequências do meu ato. As coisas acontecerão à medida que tiverem de acontecer.

Por favor, não pensem em me ajudar financeiramente, já chega a mãe ter de vir para cá, tomara que ela consiga renovar o passaporte em caráter de urgência urgentíssima. Preciso de você, mãe, de seu consolo, de seu amparo. Venha logo. Mas fora eventuais visitas, não quero dar mais despesas à família, mesmo porque, ainda que vocês vendessem tudo o que têm, não daria para pagar nem um mínimo do prejuízo que causei. Praticamente destruí o laboratório, quebrei as jaulas das seis cobaias, usei muito mais material do que seria necessário, mas o importante é que salvei o bebê. É uma menina. Ao entrar à força no laboratório onde se trancara o homem que destruiu minha vida e sua equipe de monstros, o bebê estava jogado no lixo, e ele ainda teve a desfaçatez de me dizer que a criança provinha de um óvulo meu. Não vi mais nada pela frente: peguei o corpinho já sem vida e, em desespero, arrebentei as gaiolas dos animais que serviriam de cobaias para futuros experimentos: dois macacos, uma lebre, um cachorro e dois porquinhos. Com uma força que nem sei de onde veio, arranquei-lhes os órgãos vitais e substituí pelos de minha filha. A cena era dantesca, o laboratório mais parecendo a entrada do inferno: animais mortos atirados no chão, sangue por todo lado, restos e carcaças em poças de soro misturado com medicação e sangue. De repente, o vagido de um bebê, o som mais doce que já ouvi. Era a minha filha que voltava da morte para a vida. Eu a trouxera de volta! Segurei-a com o maior carinho em meus braços, cheia de cuidado para não abrir os cortes que acabara de suturar. Naquele momento, prometi que o único objetivo na minha vida seria cuidar dela para sempre. Nisso, entraram os seguranças que tentavam me imobilizar, enquanto duas assistentes sociais tiravam de mim o bebê e o levaram embora. Lutei feito doida até que me deram uma injeção e eu apaguei. Fui acordar no hospital judiciário, cercada de policiais, médicos e fotógrafos. Ao recuperar a consciência, berrei pelo meu bebê, mas ninguém me disse para onde o tinham levado. Pelo contrário: procuraram me convencer de que não havia bebê algum, que eu imaginara tudo aquilo, resultado de um surto psicótico. Em seguida, tive alta e trouxeram-me para a delegacia, onde prestei depoimento e fui encarcerada nesta jaula, que me deixa louca e de mãos atadas, pois daqui não há como procurar minha filha. Ela deveria estar recebendo tratamento para que os órgãos transplantados não sofram rejeição. Além do mais, precisa de cuidados e, se me deixassem, sei que poderia salvá-la de tudo e de todos. Juro a vocês que tudo que contei é verdade: fiz os transplantes, as transfusões e o bebê reviveu. Imagino que a Sociedade Científica vá tentar me ridicularizar perante o mundo, pois a última coisa que querem é um ser trazido da morte por uma pessoa qualquer, num ato de desespero. Onde ficaria a glória que aqueles vaidosos tanto almejam? Tudo o que peço a vocês é que encontrem minha menina e a criem enquanto eu estiver presa. Quem sabe consigo ser extraditada, mas não deixarei este país sem a minha filha. Nem que tenha de ir até o fim do mundo, vou buscá-la. Aquele rostinho e o som doce do primeiro vagido não saem da minha cabeça. Pelo amor de Deus, me ajudem. Quando a tiraram de mim, estava viva, respirando, chorando como qualquer recém-nascido saudável. Encontrem a minha filha, é tudo o que peço. O que fiz foi por amor e faria de novo, e de novo, e de novo.

Liz."

Brasil, uma cidade qualquer — 2014
Casa da família Medeiros

Assim que entraram, Carlos trancou a porta com um suspiro de alívio. O silêncio que reinava dentro do apartamento, a sala mergulhada na penumbra graças às cortinas permanentemente fechadas, era mil vezes preferível à perseguição enervante dos repórteres. Mal tinham se acomodado, quando Elisa se descontrolou:

— Onde estava a Liz com a cabeça quando foi fazer isso? Cé, sempre foi com você que ela se abriu, desde pequenininha. Você sabia? Então? Você sabia?

— Mãe, você já me perguntou isso um milhão de vezes desde que a Liz...

— Sabia ou não sabia? — exaltou-se a mãe. — Toda essa desgraça poderia ter sido evitada se a gente tivesse noção do que essa menina andava aprontando. Se ela te contou alguma coisa e você não nos disse nada, eu nunca vou te perdoar, Cé, está entendendo? Nunca!

O dia lá fora continuava chuvoso e frio, impróprio para a época do ano. O clima parecia contribuir para a depressão que tomara conta da família.

Estavam exaustos, as emoções roídas até o osso. Acabavam de chegar de uma reunião com uma pessoa influente que, se quisesse, poderia interferir.

Carlos se aproxima da janela e afasta um canto da cortina:

— Lá estão os urubus com suas câmeras. A postos, procurando carniça.

Afasta-se do posto de observação.

O silêncio volta a reinar. Não há clima para conversa, não há disposição para nada.

Elisa não aguenta:

— Cé, liga a televisão.

— Pra quê, mãe? Você vai se aborrecer mais ainda.

— Liga, Cé.

Por mais que tentem manter os nervos sob controle, sabem que o pior ainda está para vir. O sono se foi, o apetite, a alegria, o prazer de viver, desde que tudo aconteceu. Cinco anos de tormento. Cé pediu demissão da empresa onde trabalhava havia mais de seis anos. Bia desistiu da faculdade. Não queriam enfrentar o constrangimento de perguntas, manifestações de solidariedade, olhares curiosos, muitas vezes, irônicos. A família passara a viver quase confinada à casa. A vida se transformara num emaranhado de emoções, a raiva do que Liz fizera se misturando à pena, uma grande pena dela, deles, de tudo. E a criança, então? Prefeririam nem mencioná-la nas conversas. A não ser Elisa. Essa não tinha outro assunto, queria a criança a qualquer preço, fosse como fosse. Dizia ser a última alegria com que poderia contar e, nem que tivesse de mover céus e terras, encontraria a neta.

— Enquanto não aparecer alguma tragédia que interesse mais, esses desgraçados não vão nos deixar em paz — continuou Carlos, ainda pensando nos repórteres, de campana à porta do edifício. — Notícia requentada não dá lucro. Vamos torcer para que haja pelo menos um desmoronamento, uma guerra, um escândalo, qualquer coisa.

— Paciência, papai — Bia procura acalmá-lo. — Mais uma semana e o julgamento terá sido iniciado, deve terminar em poucos dias e, com o tempo, esquecerão de nós.

— Que canal vocês querem? — pergunta Cé, ligando a televisão com relutância.

Na verdade, estão ansiosos para ver o que está sendo veiculado na mídia, ainda que saibam que vai reavivar a dor.

— Qualquer um, filha — diz Elisa. — Vai zapeando.

Na maioria dos canais, a pauta gira em torno do assunto: o primeiro mostra uma entrevista com o titular de bioética da Faculdade de Medicina, veementemente contra experiências que desrespeitem os limites humanos. Cé passa para outro canal. Nesse, um grupo de mães em vigília de protesto diante do consulado alemão. "Eu faria o mesmo que ela", diz a desconhecida abordada pelo repórter, certa Maria do Rosário Freitas, auxiliar de escritório, mãe de três filhos. Outras Marias, de diversas profissões e camadas sociais, serão ouvidas e concordarão: quando se trata de um filho, tudo é válido.

Cé continua zapeando:

Vai a julgamento o caso da cientista brasileira.

Existe ou não existe outro Frankenstein?

E nos programas evangélicos e católicos:

Igrejas debatem a questão e se dividem.

Número de twitters bate recorde no caso da brasileira.

Santa Sé fala em excomunhão.

O âncora de um jornal informa: "Segundo a suposta mãe biológica, a criança teria sido entregue a assistentes sociais assim que descoberta, e desde aí não se soube mais dela, apesar dos esforços da família da cientista junto aos órgãos oficiais alemães e brasileiros. O Itamaraty evita se manifestar sobre a questão enquanto a Sociedade Científica Internacional e o Tribunal Internacional de Ética não se posicionarem de modo conclusivo. Procurados os representantes das entidades pela nossa reportagem, fomos informados de que os processos estão em andamento e a demora se deve às intrincadas e polêmicas questões geradas pelo caso".

A chamada de um programa sensacionalista anuncia que a criança desaparecida estaria operando milagres, segundo vários depoimentos.

Elisa desliga bruscamente a televisão.

– Que barbaridade! – exclama. – A gente cria uma filha com todo o carinho, com toda a proteção, para no fim acontecer uma coisa dessas...

Ninguém diz nada. As filhas se preocupam com o que acontecerá aos pais nos tempos complicados que virão, mas não sabem o que dizer, faltam as palavras certas de consolo, de apoio. A mãe anda de um lado para outro e continua o desabafo:

— Você não respondeu à minha pergunta, Cé. Sabia ou não?

— Não, mãe, eu também não sabia. Já disse tudo a vocês e ao nosso advogado. Ela tinha noção de que estava entrando numa fria, mas, quando se deu conta, já era tarde demais.

Elisa não se contém e começa a chorar. Se pudesse fazer voltar o filme, não deixar a filha viajar para longe deles, morar numa terra estranha cheia de gente estranha, tantos anos afastada da família, sua menina que não fazia muito tempo ainda era uma criança, a mais velha das três. Retoma o discurso que tem repetido como uma ladainha:

— Tanta esperança na carreira da Liz! Não que vocês não nos dessem alegria, pelo contrário. Você e a Bia sempre foram boas meninas, sempre estudaram, fizeram tudo direitinho, mas a Liz...? A Liz era diferente, a primeira em tudo, o que cismava de fazer, fazia bem, se destacava. Na idade dela, chegar à supervisora de pesquisas numa universidade alemã do porte daquela... Só que, no que diz respeito aos sentimentos, era uma criança mimada que encasquetou com o homem errado. Será que em nenhum momento viu que o tal Viktor não servia?

Cé passou o braço em torno dos ombros da mãe. Com uma pontada no coração, sentiu como aqueles ombros pareciam menores a cada dia, mais frágeis. Constatou, com tristeza, que os pais envelheceram desde que tudo veio à tona. Falou com meiguice:

— Mãe, você tem de entender: um homem muito mais velho, famoso no mundo científico, bajulado, adorado pelas mulheres. Você acha que a Liz não ficou superorgulhosa de ter sido a escolhida?

— Sim, claro — ironizou a mãe —, a escolhida, mas para quê? Para servir de cobaia?

O pai interveio. Aborrecia-se quando a mulher começava com essas lamúrias, jogando a culpa nas filhas, especialmente na coitada da Liz:

— Para de crucificar a menina, Elisa. A Cé tem razão. Quando ela conheceu o tal cientista, era uma moça cheia de vida e de ilusões, por mais brilhante que fosse nos estudos e no trabalho. Vamos pensar nela com amor, e não só criticar, criticar, criticar...

— Tá bom, já sei, você não admite que eu fale nada contra a Liz. Nunca admitiu. Talvez por isso mesmo ela esteja agora nessa enrascada.

— Gente, vamos parar, pelo amor de Deus — pediu Bia, a irmã mais nova. — Já está difícil como está, imagine se vocês começam a brigar.

O toque do telefone põe fim à discussão. De um salto, Elisa alcança o aparelho.

— Alô? Sim, doutor, sou eu mesma. Conseguiu alguma novidade? Não? Nada? Mas ele... Está bem, em todo caso, agradeço muito... de coração... Sim, claro... E se o senhor puder insistir, tentar mais uma vez... Vou viajar hoje para a Alemanha; vou ficar lá até o fim do julgamento. Se houver alguma novidade, peço que fale com meu marido. Sim, ele e minha filha mais nova ficarão, minha mãe está muito doente. Vou com minha outra filha. Obrigada, muito obrigada... Aguardaremos, sim.

Desliga o aparelho e volta-se para a família:

— O dr. Maurício falou com o ministro. O Itamaraty não vai interferir. Bando de burocratas inúteis.

Seguiu-se um silêncio desanimador. De repente, tomada de novo alento, Elisa declara:

— Quer saber, Carlos? Assim que terminar esse pesadelo de julgamento e eu voltar da Alemanha, irei pessoalmente a Brasília. Vou bater em todas as portas, vou aos jornais, vou fazer movimento na Praça dos Três Poderes, até que resolvam me atender e ajudem a devolver minha neta, esteja ela onde estiver.

Pai e filhas se entreolham. Eles estão cada vez menos convencidos da existência da criança. A mãe é a única que tem certeza absoluta de que a neta vive e que cabe a ela encontrá-la.

A tarde dá lugar à noite. Elisa e Célia estão prontas. O táxi vem buscá-las para levar ao aeroporto. Despedem-se em silêncio e saem pela porta dos fundos, na esperança de driblar os repórteres.

Uma semana depois...

BRASIL, MANCHETE DE JORNAL — 2014
ALDA LUCAS — CORRESPONDENTE/ALEMANHA

Vai hoje a julgamento na cidade de.., na Alemanha, a cientista brasileira, presa há três anos, sob acusação de práticas antiéticas e dano ao patrimônio público. O caso, que ficou conhecido como "O novo Frankenstein", causou polêmica no mundo todo quando a pesquisadora utilizou-se de métodos transgênicos revolucionários, não autorizados pela Sociedade Científica Internacional, para, segundo ela, restituir a vida a um recém-nascido.

A cientista, Elizabeth Coimbra Medeiros, 32 anos, após passar em rigoroso processo de seleção, foi admitida como bolsista pesquisadora da Universidade de...., na Alemanha, desde 2010. Terminou o estágio e foi convidada para integrar os quadros da faculdade como pesquisadora plena, tendo sido promovida em seis meses para o cargo de supervisora de pesquisa com material transgênico. Em sua defesa, alega que o prof. dr. Viktor Mellaniu, mundialmente conhecido e gozando de alta reputação nos meios científicos, com quem a acusada vivia desde 2011, usou óvulos cedidos pela ré para fins experimentais. A defesa alega que ela não sabia que tais óvulos seriam fecundados in vitro e depois, gestados numa incubadeira artificial, até então só usada para gestação de animais, ainda em processo experimental.

Foi por mero acaso que a cientista viu a criança, uma menina, que resultara desse procedimento, ser imediatamente descartada ao nascer com vida, pelo dr. Viktor Mellaniu e sua equipe, chefiada pelo dr. Larry Goldman. O motivo alegado pelo cientista foi de que se tratava de resultado de experiência inédita, cujos resultados ainda eram imprevisíveis, reafirmando sempre que a criança nem sequer formada estava quando do descarte. Elizabeth, no entanto, alega ser a mãe biológica do bebê, e assim que a equipe saiu do laboratório ela usou outra experiência que vinha sendo feita com animais, para devolver a vida à criança morta. Para tanto, usou tecidos, veias, artérias e órgãos de vários espécimes vivos que estavam em engradados no laboratório e que serviriam para experimentos futuros.

A Sociedade Científica Mundial repudiou o ato de todos os envolvidos, primeiramente negando a existência de qualquer criança. Em vista do depoimento dos médicos, passou a aceitar a existência de um feto, o que não eximiu a atitude do dr. Mellaniu de responder a processo, no qual foi indiciado por homicídio qualificado. A dra. Elizabeth responde por violação ao Código de Ética ao usar transferência de material transgênico ainda não aprovada pelo Conselho de Bioética, além de danos ao patrimônio público e tratamento cruel seguido de morte de animais.

Surpreendida no ato da ressuscitação, a brasileira foi presa em flagrante e, segundo ela, a criança teria sido entregue ao serviço social alemão. Apesar da intervenção de organismos internacionais, não se sabe do paradeiro ou mesmo da existência da recém-nascida, que hoje estaria com três anos.

O ocorrido gerou grande celeuma e até hoje divide as opiniões.

A defesa da cientista descartou, por imposição da ré, a negativa quanto à ressuscitação da criança, insistindo na tese de que não só ela é real, mas que voltou à vida graças à sua mãe, independentemente de o método usado ser ou não considerado ético. Insiste, ainda, que a filha deverá ser de imediato devolvida à guarda da cientista.

O caso é de grande interesse, pois seria a primeira vez que um ser humano teria conseguido vencer a morte.

A Sociedade Científica Internacional nega peremptoriamente a possibilidade.

POSFÁCIO
O destino de cada um

Mary: DE VOLTA À INGLATERRA COM A família, terminou seu livro em 1817, aos dezenove anos. Depois de ser rejeitado por mais de um editor, em março do ano seguinte a primeira edição foi oficialmente lançada. No mesmo mês, mudaram-se para a Itália, onde tragédia após tragédia viriam a acontecer. Mary e Shelley perderam a pequena Clara, outra filha que lhes nascera, e também o filho William. No mesmo ano, Harriet, a esposa legal de Shelley, morreu. Apesar de continuarem contra a instituição do casamento, Mary e Shelley acharam melhor se casar a fim de dar uma satisfação à sociedade escrupulosa da época. Algum tempo depois nasceu Percy, deixando Mary num estado de constante depressão e ansiedade, temerosa de que o menino tivesse o mesmo destino dos demais. Algum tempo depois, ela teve um aborto espontâneo que quase a matou. Aos vinte e cinco anos, tornou-se viúva, desesperando-se com a morte precoce de seu amado Shelley. Voltando para a Inglaterra, tomou conhecimento da imensa fama que seu livro *Frankenstein* fazia. Escreveu romances e tornou-se uma respeitável biógrafa, mas seu objetivo na vida resumiu-se a criar o único filho sobrevivente, Percy Florence, dar-lhe uma educação à altura e, acima de tudo, publicar e divulgar a obra de Shelley. Faleceu aos cinquenta e quatro anos.

Shelley: amante dos esportes náuticos, apesar de não saber nadar, aventurou-se com um amigo numa viagem em barco próprio, batizado Don Juan, por sugestão de Byron. Shelley e sua família tinham alugado uma casa em La Spezia, na região da Ligúria, Itália. O tempo estava terrível, as tempestades varriam os mares. Ainda assim os dois navegantes decidiram enfrentar as intempéries. Seus corpos foram encontrados mais de quinze dias depois e, por determinação da legislação italiana, não puderam ser removidos para enterro. Byron e mais dois amigos fizeram construir uma pira na praia, onde os corpos foram cremados. O coração de Shelley foi salvo das chamas por um dos presentes e levado a Mary. A fama de Percy Shelley custou a se construir, mas hoje ele é tido como um dos maiores poetas ingleses.

Byron: entediado com a vida, o poeta viu a possibilidade de tornar-se herói na guerra de independência da Grécia ao ser procurado pelo Comitê Grego em Londres e nomeado seu representante. Os gregos queriam se libertar do Império Otomano. Usando seus próprios recursos, fretou um barco em Livorno, reuniu um grupo de amigos dispostos a lutar pela causa grega, encomendou vistosos uniformes e partiu com sua equipe para o "berço da civilização". No entanto, não foi como soldado que morreu, mas sim vítima de febre tifoide, ou talvez de malária, após tomar uma chuvarada quando passeava a cavalo pelos campos de Missalonghi, aos trinta e seis anos.

Polidori: após a temporada na Villa Diodati, o belo, inteligente, desdenhado Polly Dolly, nunca mais viu Byron. Algum tempo depois, o autor de *O Vampiro*, desencantado da vida, cometeu suicídio aos vinte e um anos. Seu nome não é conhecido até hoje e nem mesmo ligado à sua obra, que se tornou famosa e deu início aos vampiros galantes, "coincidentemente" parecidos com Lord Byron.

Claire: que destino triste foi-lhe reservado! Ela teve a filha que tanto queria com Lord Byron, imaginando que assim se ligaria a ele para sempre. Não só não conseguiu tê-lo para si, como entregou ao pai a menina, para que pudesse receber educação apurada. O lorde desalmado mandou a criança aos quatro anos para um convento de monjas na Itália, onde, anos depois, morreu de pneumonia. Durante todo esse tempo, Claire foi proibida de ver a filha, fato que a atormentou até o fim de seus dias.

William Godwin: no fim da vida, conseguiu um emprego no governo e teve seus tempos de glória ressuscitados. O velho filósofo era visitado por muitos notáveis da época, distribuía autógrafos e exercia suas funções governamentais. O antigo anarquista, livre dos problemas financeiros que sempre o assombraram, tornara-se afável e gentil. Morreu aos oitenta anos e pediu para ser enterrado junto à sua primeira esposa, Mary Wollstonecraft Godwin.

Fanny: ao contrário de sua meia-irmã Mary, levou uma vida obscura e solitária. Partiu deste mundo sem fazer alarde: dirigiu-se a uma cidadezinha fora de Londres, registrou-se num hotel com nome falso e adormeceu para sempre, após tomar um vidro de láudano.

Harriet: teve um filho de Shelley e uma filha, cuja paternidade não ficou esclarecida. Inconformada por ter sido preterida por Shelley, afogou-se no rio Tâmisa, em 1817.

O monstro, o demônio, a coisa, o animal, o diabo, o vil inseto, enfim, todos os nomes pelos quais Mary se referiu ao principal personagem de sua criação, ganhou um nome, *Frankenstein*, e não morreu. Pelo contrário, tornou-se eterno, imortal. Ao contrário do que ele declarou pretender fazer no final do romance, ou seja, imolar-se numa pira, mostrou-se resistente ao fogo, assim como o coração de Shelley. Desde sua criação não mais parou de fazer sucesso. É conhecido universalmente, por meio de livros muitas vezes reeditados, inúmeras outras obras que derivaram do original, protagonizado em filmes, desenhos animados, áudios, peças teatrais, HQs. Seu nome é reverenciado em redes sociais e tem traduções pelo mundo afora. Segue assustando e encantando leitores de todas as idades, camadas sociais e nacionalidades. O que vem a provar que a imortalidade só pode mesmo nos ser dada pela arte.

FIM

Bibliografia

Byron, *Poemas*, Editora Hedra (espólio de Péricles Eugênio da Silva Ramos), São Paulo, 2008.

Church, Richard. *Mary Shelley*. The Viking Press, Inc., EUA, 1928.

Day, A.J. *Fantasmagoriana* – Tales of the dead. Fantasmagoriana Press, 2005.

Douthwaite, Julia V. et Richter, Daniel. *The Frankenstein of the French Revolution*: Nogaret's automaton tale of 1790. University of Notre Dame, Notre Dame, In U.S.A – published *on-line*: 17 de junho de 2009.

Florescu, Radu. *Em busca de Frankenstein* – o monstro de Mary Shelley e seus mitos. Editora Mercuryo, São Paulo, 1998.

Lovecraft, Howard Phillips. *O horror na Literatura*. Livraria Francisco Alves, Editora S.A., Rio de Janeiro, 1987.

Maurois, André. *A vida de Shelley*. (Tradução de Manuel Bandeira). Companhia Editora Nacional, São Paulo, 1936.

O'Brien, Edna. *Byron Apaixonado*. Bertrand Brasil, Rio de Janeiro, 2011.

Seymour, Miranda. *Mary Shelley*. Grove Press, Nova York, EUA, 2000.

Shelley, Mary. *Frankenstein ou o Prometeu Moderno*. Martin Claret, São Paulo, 2009.

Shelley, Mary. *Frankenstein*. Bantam Dell, Nova York, 2003.

Tomalin, Claire. *The Life and Death of Mary Wollstonecraft*. Willmer Brothers Limited, Birkenhead, Grã-Bretanha, 1976.

Pesquisa sobre Bioética

a) Ética para a civilização tecnológica: em diálogo com Hans Jonas. Centro Universitário São Camilo, São Paulo, 2011; gentilmente cedido pelo prof. dr Reinaldo Ayer de Oliveira, professor de bioética do Departamento de Medicina Legal-USP.
b) Responsabilidade em bioética aplicada à pesquisa científica e à experimentação biológica – limites e aspectos éticos da intervenção sobre o ser humano e experimentação nos animais – prof. dr. Reinaldo Ayer de Oliveira – programa do curso de pós-doutorado, Medicina – USP.
c) Código de Ética do Estudante de Medicina – Conselho Regional de Medicina do Distrito Federal, 2006.
d) Frankenstein or the modern Prometheus, Ross Camidge, University of Colorado; publicado no British Medical Journal, cortesia do British Publishing Group.
e) The making and remaking of man: Mary Shelley's Frankenstein. M. G. H. Bishop, Journal of the Society of Medicine, 1994.
f) Playing God in Frankenstein's Footsteps: Synthetic biologie and the meaning of life. http://www.ncbi.nlm.nih.gov/pmc/articles
g) Galvanismo. fonte: Wikipedia.
h) Luigi Galvani. fonte: Wikipedia.
i) Luigi Galvani and the birth of electrobiology. http://waveverification.net

Os artigos citados a seguir foram gentilmente cedidos pelo dr. Adriano Marques de Almeida que, além de vários títulos na área médica, recebeu o título de especialista pela Harvard Medical School, no curso de Princípios e práticas da pesquisa médica, 2012.

a) Ethical principles in clinical research, Christine Grady, Department of Clinical Bioethics, National Institute of Health and Clinical Center, Bethseda, Maryland – EUA.
b) Should research ethics triumph over clinical ethics?, Michael H. Kottow, Professor, School of Public Health, University of Chile, Blackwel Publishing Ltd., 2005.
c) Ethical and scientific implications of the globalization of clinical research. Massachusetts Medical Society, The New England Journal, 2009.

Pesquisa sobre Alquimia, Castelo de Frankenstein e Johann Conrad Dippel

a) Hutin, Serge. *História Geral da Alquimia*. Pensamento, São Paulo.
b) Florescu, Radu. *Em busca de Frankenstein* – o monstro de Mary Shelley e seus mitos. Editora Mercuryo, São Paulo, 1998.
c) Investigating the "Real Frankenstein Potential". Mike A. Zuber (internet).
d) Johann Conrad Dippel. Wikipedia.
e) Johann Konrad Dippel. E.E. Aynsley and A.W. Campbell – texto obtido na internet – Creative Commons Attribution-Share Alike License.
f) Castle Frankenstein fonte: Wikipedia e Alemanha! Por que não? www.alemanhaporquenão.com
g) Weird Scientist: Johann Konrad Dippel, Daaniel Smith, Sunday Mercury.net, março de 2009.
h) Homúnculo. fonte: Wikipedia e História Geral da Alquimia (*op. cit.*).

INFORMAÇÕES SOBRE A
GERAÇÃO EDITORIAL

Para saber mais sobre os títulos e autores
da **Geração Editorial**,
visite o site www.geracaoeditorial.com.br
e curta as nossas redes sociais.

Além de informações sobre os próximos lançamentos,
você terá acesso a conteúdos exclusivos
e poderá participar de promoções e sorteios.

🏠 geracaoeditorial.com.br

f /geracaoeditorial

🐦 @geracaobooks

📷 @geracaoeditorial

Se quiser receber informações por e-mail,
basta se cadastrar diretamente no nosso site
ou enviar uma mensagem para
imprensa@geracaoeditorial.com.br

Geração Editorial
Rua Gomes Freire, 225 – Lapa
CEP: 05075-010 – São Paulo – SP
Telefax: (+ 55 11) 3256-4444
E-mail: geracaoeditorial@geracaoeditorial.com.br